Univers des Lettres Bordas

Sous la direction de
Fernand Angué, André Lagarde, Laurent Michard

VERLAINE

ŒUVRES POÉTIQUES

avec une notice sur la vie de Verlaine,
une étude générale de son œuvre, une analyse
méthodique de ses Poésies choisies,
des n

D1413252

Edmond RICHER

Ancien élève de l'Ecole normale supérieure
Agrégé des Lettres
Professeur de Première Supérieure
au Lycée Louis-le-Grand

BORDAS

SOMMAIRE

© Bordas, Paris 1967 - 1re édition
© Bordas, Paris 1985 pour la présente édition
I.S.B.N. 2-04-016088-4 — (I.S.S.N. 0249-7220)

VIE DE VERLAINE *(1844-1896)*

« Un parfait petit bourgeois » On peut presque dire que l'enfance de Verlaine fut sans histoire. Le futur chroniqueur des *Poètes maudits*, poète maudit lui-même, naquit à Metz le 30 mars 1844, dans un foyer de bourgeoisie aisée et heureuse. Son père, qui possédait un capital de 400 000 francs, était issu d'une vieille famille de l'Ardenne si bien imprégnée de tradition catholique que l'on comptait plusieurs prêtres dans ses rangs. Quant à sa famille maternelle, originaire de l'Artois, elle comprenait de gros fermiers et des fabricants d'huile, déjà établis à Arras au xviiie siècle. Le couple de ses parents était donc fort bien assorti, mais il manquait à l'équilibre et au bonheur de ce ménage vieux de treize ans une descendance à élever et à aimer. Paul Verlaine combla enfin cette attente, d'autant plus totalement qu'avec son second prénom de Marie, qui « le vouait à la Sainte Vierge », il tenait lieu aussi, pour sa mère, de la petite fille qu'elle avait longtemps espérée. Verlaine parlera toujours de son père, et notamment dans les *Confessions*, avec un attendrissement mêlé de fierté : ce capitaine-adjudant-major, avec « l'épée, le bien ajusté pantalon bleu foncé à bandes rouges et noires à sous-pieds », avec « son port superbe d'homme de très haute taille comme on n'en fait plus » sut si bien gagner l'affection de son fils que celui-ci, devenu adulte et poète, gardera une tendresse étonnamment fidèle pour l'officier. La figure de sa mère, sur laquelle nous ne possédons que des témoignages contradictoires, est assez malaisée à dessiner; mais son trait le plus profond et le plus constant fut cet amour jamais lassé, aux indulgences extrêmes, qu'elle conserva jusqu'au bout pour son fils, et qui mériterait qu'un Balzac ait trouvé, pour le désigner, un équivalent féminin de « Christ de la paternité ».

On conçoit aisément, dans ces conditions, que l'enfance de Verlaine ait été heureuse, disons même : douillette. Il suivit son père dans ses garnisons successives, mais de Montpellier ou de Nîmes ce tempérament nordique ne conserva que des images fugitives où son cœur ne fut jamais pris. De retour à Metz depuis quelque temps, le capitaine Verlaine démissionne de l'armée en 1851, sans doute pour pouvoir aller s'installer aux Batignolles, « quartier dès alors favori des militaires retraités ». Pour le jeune Paul Verlaine cette installation marque la fin d'une enfance insouciante et choyée. Il va lui falloir « faire ses études ». Du moins lui laissera-t-on le choix de son internat, l'Institution Landry, proche de la maison familiale, dont les pensionnaires suivaient les cours du lycée Bonaparte (aujourd'hui Condorcet). Dans ses *Confessions*, Verlaine semble mettre sa coquetterie à présenter une image peu flatteuse de sa vie scolaire puisque, si nous l'en croyons, il « flottait entre 25 et 30 sur 35 ». Mais de minutieux historiens ont retrouvé trace de ses classements et il apparaît que Verlaine fut dans l'ensemble un bon élève, reçu au baccalauréat en 1862 malgré un fléchissement à partir de la Troisième. Quoi qu'il en soit, ce passage à l'Institution Landry et au lycée l'ont peu marqué dans un sens ou dans un autre : il n'y a pas souffert et n'y a pas été non plus particulièrement heureux, et l'on pourrait dire de l'ensemble de ces années ce qu'il dit de l'une d'entre elles : « J'ai beau fouiller dans ma mémoire, je ne vois rien dans ce lointain, rien, absolument rien, non seulement de saillant, mais d'existant : éclipse totale de souvenirs, du moins quelque peu dignes d'être rapportés ».

Premiers nuages   Toutefois cette jeunesse, calme comme celle d'un enfant unique gâté par des parents un peu âgés, comporte quelques drames latents. D'abord, Verlaine est laid, ou se croit tel, ou finit par le devenir à force de croire l'être. Un de ses professeurs a pu parler en tout cas de sa « tête hideuse qui faisait penser à un criminel abruti ». Cette disgrâce n'a pu que rendre plus intime et plus secrète l'espèce de passion indécise et un peu trouble que, sous le nom de tendresse filiale, il a portée à sa cousine Élisa Moncomble, de huit ans son aînée, une orpheline que ses parents avaient recueillie. C'était pour lui une seconde mère, mais peut-être éveilla-t-elle, sans le savoir et sans le vouloir, ses premiers émois sentimentaux, encore bien vagues et bien chastes, dont les *Poèmes Saturniens* seraient en partie l'écho, si nous en croyons J.-H. Bornecque. D'autre part, c'est pendant cette période que Verlaine a perdu la foi, comme il le dira lui-même et comme le témoignage de plusieurs de ses familiers le confirme. Il nous apprend, dans ses *Confessions*, qu'il avait fait une « bonne » Première Communion. Les guillemets — qui sont de lui — n'invitent guère à imaginer, dès ce moment, une foi très solide. En tout cas il semble avoir cessé toute pratique (sauf lors de ses séjours dans sa famille, fort cléricale) plus par indolence qu'à la suite d'une crise douloureusement vécue.

Ces quelques remous sentimentaux ou spirituels dans une vie par ailleurs calme permettent pourtant de mesurer déjà la complexité de ce caractère. La suite de ses années d'adolescence et le début de sa maturité confirmeront cette double postulation, vers Dieu et vers Satan, comme disait Baudelaire qu'il découvre justement à cette époque. Il compose des vers orduriers, qui découragent, encore aujourd'hui, les éditeurs, mais n'oublie pas d'aller rendre des visites régulières à de nombreux prêtres de l'Ardenne, qu'il connaît et qu'il aime. Après un début d'études de Droit vite abandonnées, il est, depuis 1864, un honnête et obscur expéditionnaire à l'Hôtel de Ville, et il fréquente les concerts Pasdeloup non moins assidûment que les maisons de passe de bas étage. Le plus grave est peut-être que, très touché par les disparitions successives de son père (1865) et de sa cousine Élisa (1867), il se met à boire de l'absinthe. Mais ce n'est encore qu'un ver dans le fruit. S'il fréquente les milieux littéraires, ses amis sont Catulle Mendès, Anatole France, Sully Prudhomme, François Coppée, artistes on ne peut moins inquiétants. Cependant il arrive que l'ivresse le mette hors de lui-même : lors de crises de colère forcenée, en 1869, il brutalise sa mère. Alors son entourage s'émeut et songe sérieusement à marier ce velléitaire, trop perméable à ses tentations, avec une cousine énergique. Peut-être par peur de cette virago, peut-être aussi parce qu'il fut sincèrement séduit par la demi-sœur de son ami Charles de Sivry, Mathilde Mauté, il la demanda en mariage presque sans la connaître.

Mathilde   Elle avait seize ans, était issue d'une famille bourgeoise peu fortunée, et partageait avec sa mère un goût assez vif pour la poésie. Or Verlaine, qui venait de publier un second recueil, *les Fêtes galantes*, connaissait déjà la notoriété, sinon la gloire, et à son emploi, modeste sans doute, de l'Hôtel de Ville, s'ajoutaient « de belles espérances ». C'était plus qu'il n'en fallait pour décider les Mauté. Quant à Verlaine, il était d'autant plus impatient de se marier que ce mariage devait être pour lui le signal d'un rétablissement décisif au bord d'une mauvaise pente. Pendant ses fiançailles, il envoie à Mathilde, au fur et à mesure qu'il les écrit, les poèmes qui seront publiés sous le titre de *la Bonne Chanson*, où il célèbre les charmes innocents de Mathilde et savoure d'avance une vie calme et conjugale,

« Le foyer, la lueur étroite de la lampe ;
[...]
Et les yeux se perdant parmi les yeux aimés... »

Le mariage eut lieu le 11 août 1870. L'heure était critique : la guerre, les premières défaites, le siège, la Commune, sa répression furent autant d'épreuves pour ce jeune ménage, dont les débuts avaient pourtant été heureux dans un bel appartement de la rue du Cardinal-Lemoine, et dont le salon était fréquenté par de bons amis doublés d'artistes à la mode. Verlaine, dans un élan de patriotisme dont rien ne permet de mettre en doute la sincérité, s'était engagé dans une unité qui montait la garde sur les remparts. Mais les servitudes de ces fonctions militaires, une courte maladie, l'ennui enfin, lui firent vite retrouver sa vieille passion : l'absinthe. Ensuite Verlaine, gagné comme la plupart de ses amis aux idées de la Commune, se compromit assez pour perdre son emploi à l'Hôtel de Ville et se trouver même obligé, pour éviter le pire, de passer quelque temps hors de Paris, à Fampoux, dans sa famille maternelle. Revenu dans la capitale, le jeune ménage s'installa chez les Mauté. Il n'avait pas encore subi de dommages irréparables et, malgré son habitude de boire, Verlaine était peut-être au seuil d'une existence bourgeoise incolore, sans grande saveur mais sans grand malheur, lorsqu'apparut dans son ciel un astre maléfique et fascinant : Arthur Rimbaud.

Rimbaud   Dès la fin de l'été 1871, Verlaine avait reçu de Charleville une lettre d'un jeune poète inconnu, âgé de dix-sept ans, qui lui faisait une première confidence de sa révolte et de ses espoirs. Il y joignait quelques-uns de ses vers et demandait qu'on le fît venir à Paris. Le temps de résoudre quelques problèmes matériels et Verlaine envoya sa réponse, qui était une chaleureuse invitation (« *Venez, chère grande âme, on vous appelle, on vous attend* »), assortie d'un mandat, pour permettre au destinataire de s'y rendre. Le 10 septembre 1871, Rimbaud arrivait à Paris et s'installait dans la maison de Verlaine. Ce furent d'abord, entre les deux hommes, de longues promenades dans ce Paris dont le petit provincial avait longtemps rêvé, et d'interminables discussions littéraires. Mais très vite son jeune protégé devint pour Verlaine un « Satan adolescent », puis un « époux infernal », comme il se nommera lui-même, et ce dernier terme indique assez la nature de leurs relations. On imagine aisément, dans ces conditions, les ennuis du ménage de Verlaine : il s'enivrait régulièrement en compagnie de Rimbaud et avait de ces accès de colère comme savait lui en donner l'absinthe. L'état de grossesse avancée de Mathilde ne la mettait pas à l'abri des brutalités de son mari, et la naissance du petit Georges Verlaine (30 octobre 1871) ne procura qu'une accalmie de trois jours. On peut s'étonner de l'attitude de Verlaine. Non pas dans ce qu'elle avait de plus brutal et de plus forcené, car on voit sans peine que l'ivresse le mettait alors dans un état de folie furieuse, dont sa mère avait déjà failli être la victime en 1869, et dont il n'était pas vraiment responsable. Mais ce qui étonne le plus chez ce délicat, cet hypersensible, c'est la froideur continue, la dureté concertée que sa paternité même n'adoucit pas. En fait, Verlaine était comme fasciné par Rimbaud : il y avait d'abord entre eux un lien à la fois sentimental et physique, et aussi, comme lorsqu'ils se lardaient la poitrine à coups de couteau, une sorte de complicité gaie dans l'aberration sensuelle, dont on ne sait trop s'il faut l'attribuer à de la gaminerie ou à de la dépravation. Mais c'est surtout peut-être poétiquement, intellectuellement, philosophiquement que Rimbaud dominait Verlaine. En dépit des réminiscences que la critique moderne y a décelées, le *Bateau Ivre* était l'échantillon et la promesse d'un art neuf et total qui tranchait souverainement sur les mièvreries de *la Bonne Chanson*, cependant que l'aventure spirituelle qu'il évoquait, et que son auteur commençait à vivre, avait la séduction inquiétante des départs dont il est sûr qu'on ne reviendra pas. En face de ces prestiges, Verlaine était démuni : son bonheur lui apparaissait médiocre et fragile; Mathilde n'avait au fond pour la poésie et pour les poètes que l'admiration vite affolée d'une petite bourgeoise; lui-même était dépourvu d'une ambition qui pût se comparer au grand dessein de Rimbaud, à l'espoir de libération totale que faisait miroiter à ses yeux cet ami pour qui « la morale est la faiblesse de la cervelle ». Aussi n'est-il pas étonnant qu'un jour, le 7 juillet 1872, Verlaine soit parti avec Rimbaud. Ce qui l'est plus, c'est que ni à ce moment ni plus tard Verlaine n'ait voulu ni cru rompre avec sa femme. Naïveté? sans doute, mais surtout vieille habitude d'enfant gâté dont toutes les escapades ont été jusque là pardonnées. Il serait fastidieux de suivre pas à pas les deux amis en Angleterre, puis dans ces « paysages belges » que Verlaine évoquera dans ses *Romances sans paroles*, et d'entrer dans le détail de leurs séparations et de leurs retrouvailles, qui s'échelonnent sur plus d'une année. Un drame fortuit va mettre un terme provisoire à cette aventure : le 10 juillet 1873, à Bruxelles, Verlaine, moitié ivre, moitié furieux de voir Rimbaud s'éloigner de lui, tire deux coups de revolver sur son ami, qu'il blesse légèrement, peut-être sans l'avoir voulu. On se réconcilie mais, quelques heures après, Rimbaud, apeuré par un geste de Verlaine, oublie son nihilisme révolutionnaire et demande la protection d'un agent de police. Sans doute n'avait-il pas mesuré les conséquences de cette démarche. Toujours est-il qu'un peu plus tard Verlaine est mis en prison pour près de deux ans, sur un malentendu.

Prison et conversion Le délit était mince et manifestement non prémédité, la victime s'était de son côté désistée de sa plainte. Mais la justice belge ne devait pardonner à Verlaine ni ses relations avec Rimbaud, ni surtout son passé d'ancien communard, dangereux pour toutes les bourgeoisies. Aussi fut-il condamné au maximum de la peine, deux ans de prison, et incarcéré d'abord à Bruxelles, puis à Mons. Ce séjour en prison, vu à travers les poésies les plus célèbres de Verlaine, avec son ciel *bleu par-dessus le toit*, son arbre, sa cloche et son oiseau, nous ne sommes pas loin de l'imaginer confortable. Mais A. Adam nous invite très justement

à retoucher ce tableau : « Il passait ses journées entières à trier
du café. Cette vie d'isolement plutôt que de solitude, ces heures
toutes remplies des servitudes du règlement éteignaient en lui
l'activité de l'esprit, rendaient impossible tout travail sérieux.
Il fut longtemps sans pouvoir écrire de vers ». Quant à la religion,
elle lui apparut d'abord sous les traits peu séduisants d'un adju-
dant à la « voix terrible », faisant réciter aux détenus les formules
de prière comme un conscrit marche au pas. Mais la situation
ne va pas tarder à changer : après tout, pour ce vagabond,
la prison est un gîte, et « que faire en un gîte à moins que l'on
ne songe »? Les songeries de Verlaine, le bilan d'une vie en
partie gâchée mais pas encore perdue, le repentir, la conscience
du malheur, le désespoir enfin lorsqu'il apprend que Mathilde
a obtenu la séparation de corps et de biens (24 avril 1874)
conjuguent leurs effets pour provoquer la « conversion » de
Verlaine. Comme bien des « conversions » de notre histoire
littéraire, celle-ci — dont *Sagesse* se fera l'écho — fut en réalité
un retour à une foi et à des pratiques de jeunesse dont un coin
de son cœur avait dû garder la nostalgie. Elle opéra en tout cas
en lui un changement radical et qu'il a cru définitif : son désir
de changer de vie a la chaleur d'un engagement solennel, et
son adhésion aux dogmes est violente et passionnée avant de
devenir fanatique dans le sens d'un légitimisme clérical. Lorsqu'il a fini de purger sa peine, les portes de la prison s'ouvrent
le 16 janvier 1875, sur un bon catholique qui n'est pas encore
tout à fait un bien-pensant.

En remontant   Sa mère est là pour lui ouvrir les bras à sa
la pente   sortie de prison. Avec elle il va passer quel-
                     que temps à Fampoux dans sa famille. Il
caresse alors un double rêve : se lancer dans une entreprise agricole et se réconcilier avec sa femme. Mais Mathilde
est irréductible. Verlaine part donc pour l'Angleterre et pour
une nouvelle vie, correcte et rangée. En mars 1875, il est professeur à Stickney, et dans ce petit village anglais, perdu à 200 km
au nord de Londres, il mène pendant de longs mois une existence
irréprochable, presque bucolique. Ses élèves l'aiment et c'est
seulement pour améliorer une situation matérielle médiocre
qu'il va enseigner dans une Institution plus élégante à Bourne-
mouth. Mais le mal du pays le prend dans ce sage exil et en été
1877 le revoici en France. Ses bonnes résolutions se main-
tiennent : pendant deux ans il enseigne à l'Institution Notre-
Dame, à Rethel, et, s'il recommence parfois à boire, il est fidèle
presque jusqu'à la fin de son séjour au personnage sérieux,
zélé et un peu intempestif qui est le sien depuis sa sortie de prison.
A Rethel, il s'est pris d'une vive affection pour un de ses élèves,
Lucien Létinois, — qu'il évoquera dans *Amour*. Il l'appelle

son fils; et l'on peut dire que, avec beaucoup d'impureté en moins, Lucien, qui n'a que 19 ans, est pour Verlaine une sorte de succédané assagi de Rimbaud. Après un bref séjour en Angleterre, Verlaine reprend son vieux projet d'entreprise agricole, et cette fois le réalise. Il achète une terre au sud de Rethel, la petite ferme de Juniville, et se met en posture de l'exploiter avec Lucien et ses parents. Hélas! Verlaine était peu préparé à ce genre de travaux et sans doute peu doué pour lui. Il faut liquider à perte l'entreprise dès 1882. Verlaine rentre à Paris et s'installe sa mère rue de la Roquette. Il poursuit, avec une ténacité que tous ses biographes n'ont pas assez remarquée, le long effort de redressement entrepris en 1875. Mais cette société dont le républicanisme est des plus bourgeois pardonne mal un passé qui comporte divorce et prison, surtout lorsque s'y ajoute la disgrâce décisive d'avoir sympathisé avec la Commune. Aussi tous les efforts de Verlaine, appuyé par quelques amis, pour retrouver son ancien poste à l'Hôtel de Ville, c'est-à-dire l'assurance d'une vie décente, restèrent vains. Il en eut la certitude en 1883, l'année même qui vit mourir son jeune protégé, Lucien Létinois. C'en était trop. Dès lors, Verlaine ne résiste plus : puisque la société ne veut pas de lui à sa surface trop bien policée, il va délibérément sombrer dans ses bas-fonds.

La chute   Il achète aux Létinois un petit lopin de terre à Coulommes, s'y installe, mais c'est pour boire sans retenue et fréquenter, dans une intimité malpropre, de jeunes voyous importés de Paris. Il publie son dernier bon recueil poétique, *Jadis et Naguère*, mais au cours d'une scène d'ivresse, il manque encore de tuer sa mère, ce qui lui vaut d'être une nouvelle fois incarcéré (mars 1885). Quand il sort de prison en mai 1885, c'est un homme brisé et indigent. Sa mère est toujours à ses côtés et ils s'installent ensemble à Paris, mais maintenant c'est le taudis et la misère, la maladie bientôt, car Verlaine souffre d'une hydarthrose du genou, enfin la mort de sa mère, qui a pris froid en le soignant (21 janvier 1886). Elle lui laissait 20 000 francs de titres, ultime ressource, mais les Mauté surgissent alors et réclament l'arrérage d'une pension alimentaire due depuis le divorce : Verlaine, dans une superbe imprudence, leur abandonne avec ces titres sa dernière assurance de ne pas mourir de faim. Dès lors, malade, sans un sou, il devient l'habitué des hôpitaux parisiens, intéresse et apitoie les médecins qui le soignent. 1887 et 1888 sont les années les plus noires. Cependant sa légende avait commencé à se former. C'est à ce moment qu'il devient ce personnage pittoresque et un peu inquiétant du Quartier Latin, dont les contemporains nous ont tracé la silhouette. Il travaille. Ses ressources augmentent, il loge peu à peu dans de meilleurs hôtels. Une gloire naissante l'appelle en Hollande (1892), en Belgique et en Angleterre (1893) pour y donner des conférences. Il est élu Prince des Poètes (août 1894) à la mort de Leconte de Lisle. Mais il est trop tard pour qu'il puisse se redresser de si bas. Aussi bien Philomène Boudin et Eugénie Krantz, deux lamentables hôtesses de garnis, entre lesquelles il partage ses faveurs alternatives, s'entendent pour le dépouiller si d'aventure il prospère. Et puis, sa santé est de plus en plus mauvaise ; des abus constants ont prématurément usé son corps. Il erre encore quelque temps, d'hôpital en hôpital, de meublé en meublé, avant de mourir seul, misérablement, le 8 janvier 1896. Par une dernière et cruelle dérision, une foule d'admirateurs fervents assistera à ses funérailles, et le ministre des Beaux-Arts s'y fera même représenter.

Conclusion

En somme —, et le récit parfois un peu incolore que Verlaine nous donne lui-même des circonstances les plus cruciales de sa vie nous le confirme —, en dépit de ses drames, de ses hôpitaux et de ses prisons, la vie de Verlaine laisse une impression de grisaille. Elle comporte peu d'événements où l'on sente la marque d'une volonté ou d'un destin. L'épisode dont les conséquences ont pesé le plus lourdement dans la suite, la compromission avec la Commune, a correspondu à un enthousiasme sincère, certes, mais peu profond. Tout nous indique que Verlaine n'était guère sensible aux choses de la cité. On est tenté de mettre à part la rencontre de Rimbaud. Mais cette rencontre elle-même n'a fait que cristalliser des tendances ou des tentations déjà existantes, et il est probable qu'à défaut de Rimbaud, Verlaine aurait trouvé, comme il l'a fait après lui, quelque Létinois. Tout se passe comme si aucune fée, ni bienfaisante ni malveillante, n'avait particulièrement entouré son berceau. Il avait tout pour devenir un petit bourgeois inscrit dans une solide lignée. Il est devenu poète, et grand poète, sans que pourtant cette vocation se soit jamais manifestée sous la forme d'une poussée impérieuse, d'un besoin irrésistible. Verlaine est assez exactement le contraire d'un « effrayant génie ».

Peut-être la volonté de Verlaine avait-elle été comme émasculée de bonne heure par une tendresse maternelle excessive. En tout cas, il nous donne rarement l'impression d'avoir dirigé sa marche. C'est pourquoi le Pauvre Lélian — comme il se nommait lui-même, par anagramme — fut si souvent victime de ce « vent mauvais » qu'il a chanté dans un de ses plus célèbres poèmes, comme s'il n'avait jamais pu qu'assister en spectateur impuissant à son propre effondrement.

VERLAINE : L'ŒUVRE

L'œuvre de Verlaine est relativement abondante et couvre toute sa vie. Dès l'âge de 14 ans, comme il le dit lui-même, il avait « rimé à mort, faisant des choses vraiment drôles dans le genre obscéno-macabre ». Et il continua jusqu'à sa mort, ou à peu près, fût-ce sur un lit d'hôpital. Cette œuvre n'est pas exclusivement poétique, mais elle l'est essentiellement et, s'il a écrit quelques proses, c'est à ses recueils de vers qu'il doit sa renommée. Nous présenterons plus précisément ceux auxquels nous empruntons nos extraits. Bornons-nous ici à citer, dans l'ordre chronologique.

PRINCIPAUX RECUEILS POÉTIQUES

1874	*Romances sans paroles*
1880	*Sagesse*
1885	*Jadis et Naguère*
1888	*Amour*
1890	*Dédicaces*
1891	*Bonheur*
	Chansons pour Elle
1892	*Liturgies intimes*
1893	*Élégies*
	Odes en ton honneur
1894	*Dans les Limbes*
	Épigrammes
1896	*Chair* ⎫ (posthumes)
	Invectives ⎭

Cette abondante production, qui compte presque une vingtaine de recueils, est très inégale. Elle atteint presque d'emblée à l'excellence, puisque Verlaine n'a que 22 ans lorsqu'il publie les *Poèmes Saturniens*. Les cinq recueils suivants continuent avec des bonheurs divers, mais indéniables, à dessiner sa figure de poète original. Mais, après *Jadis et Naguère*, alors que Verlaine n'a que 41 ans, la qualité de l'œuvre connaît, à de rares exceptions près, une baisse régulière. Sans doute le poète est-il moins

« perdu » que l'homme, et certains critiques, tel A. Adam, ont même tenté de réhabiliter cette partie de l'œuvre ou du moins d'en contester le discrédit en faisant valoir toutes les recherches de technique poétique auxquelles s'est livré Verlaine jusqu'à la fin de sa vie. Mais le verdict du lecteur de bonne foi ne peut-être que sévère : il y a plus de prosaïsme que de romance et la naïveté s'y fait généralement banale, parfois vulgaire.

L'ŒUVRE EN PROSE

Elle comprend essentiellement :

1891 *Mes Hôpitaux*
1893 *Mes Prisons*
1895 *Confessions*

Il se dégage de la lecture de ces chroniques autobiographiques un certain charme bonhomme et un humour qui n'est pas dépourvu de certaines grâces d'enfance, mais Verlaine, payé à la ligne, cultive souvent une prolixité systématique où la simplicité s'affadit en platitude. L'intérêt documentaire de ces pages n'est cependant pas négligeable. Elles ont contribué à rendre Verlaine populaire sous cette forme mi-réelle, mi-légendaire de grand enfant têtu dans ses inconstances.

Le recueil *Mémoires d'un veuf* (1886), par sa ressemblance avec les *Petits Poèmes en prose* de Baudelaire, présente un certain intérêt littéraire.

Parmi les œuvres critiques, citons :

— Un article sur Baudelaire, 1865.

— *Les Poètes maudits*, 1884 (études sur Corbière, Rimbaud, Mallarmé, Marceline Desbordes-Valmore, Villiers de l'Isle Adam, Pauvre Lélian).

— *Préface* aux poésies complètes d'A. Rimbaud, 1895.

Ces essais sont en général assez médiocres et nous renseignent plus sur les goûts de Verlaine que sur l'art des poètes étudiés.

Citons enfin quelques saynètes et une correspondance précieuse pour le biographe et pour l'historien.

BIBLIOGRAPHIE PRATIQUE

Textes

Œuvres complètes (Messein, 8 vol.).

Œuvres poétiques complètes. Éd. critique par Y.-G. le Dantec (Pléiade, 1948).

Œuvres complètes. Texte établi par H. de Bouillane de Lacoste et Jacques Borel. Introduction de Octave Nadal. Études et notes de Jacques Borel (Club des libraires, 1959).

Sagesse. Éd. critique et commentaire de L. Morice (Nizet, 1948).

Poèmes Saturniens. Éd. critique et commentaires de J.-H. Bornecque (Nizet, 1952).

Lumières sur les « Fêtes Galantes ». Éd. critique et commentaires de J.-H. Bornecque (Nizet, 1959).

Études

P. Martino, *Verlaine* (Boivin, 1924, n^{lle} éd., 1951).

P. Valéry, *Variété II* (Gallimard, 1930).

A. Thibaudet, *Histoire de la Littérature française de 1789 à nos jours* (Stock, 1936).

M. Raymond, *De Baudelaire au surréalisme* (Corti, 1940).

G. Michaud, *Message poétique du symbolisme* (Nizet, 1947).

L. Morice, *Verlaine. Le drame religieux* (Beauchesne, 1948).

Ch. Bruneau, *Verlaine. Choix de poésies* (Cours de Sorbonne, 1952).

A. Adam, *Verlaine* (Boivin, 1953).

J.-P. Richard, *Poésie et Profondeur* (Seuil, 1955).

J. Richer, *P. Verlaine* (Poètes d'aujourd'hui, Seghers, 1960).

O. Nadal, *Paul Verlaine* (Mercure de France, 1961).

Cl. Cuénot, *Le style de Verlaine* (Cours de Sorbonne, 2 vol., 1962).

J.-H. Bornecque, *Verlaine par lui-même* (Seuil, 1966).

E. Zimmermann, *Magies de Verlaine* (Corti, 1967).

G. Zayed, *La formation littéraire de Verlaine* (Nlle. éd. Nizet 1970).

A. Chaussivert, *L'art verlainien dans La bonne chanson* (Nizet, 1973).

Soulié-Lapeyre, *Le vague et l'aigu dans la perception verlainienne.*

Revue Europe, sept.-oct. 1974. Divers articles sur Verlaine.

Verlaine somnolant au café Voltaire
(Dessin de F. A. Cazals)

POÈMES SATURNIENS (1866)

A cause de la dernière pièce du recueil, l'*Épilogue*, avec ses vers bien frappés et son finale assez claironnant, on peut être tenté — et on l'a été — de voir dans les *Poèmes Saturniens* un reflet assez fidèle des théories et de l'art de Leconte de Lisle. Et il est vrai que certains poèmes, avant d'être rassemblés en un recueil, avaient été publiés dans le *Parnasse Contemporain* du 28 avril 1866. Mais, à y regarder de plus près, l'influence parnassienne apparaît très limitée. Certes Verlaine, à cette époque, admire Leconte de Lisle, mais ses vrais maîtres sont plutôt — outre Baudelaire — Banville et Gautier. De plus et surtout, la voix de Verlaine prend dès ce recueil des inflexions qu'elle ne perdra plus : la sensualité s'y unit à une rêverie mélancolique en demi-teintes ; la versification, assez libre, utilise déjà l'impair.

Les silhouettes féminines évoquées se rattachent-elles pour la plupart au souvenir d'Élisa, la cousine de Verlaine prématurément disparue ? C'est la thèse de J.-H. Bornecque, séduisante et ingénieuse, mais qui n'a pas convaincu tous les critiques. Quoi qu'il en soit de ce problème, l'inquiétude diffuse dans les *Poèmes Saturniens*, cette appréhension de l'orage, cette façon de se retourner avec attendrissement vers des rêves brisés définissent une manière et une musique profondément originales. Et il est important de noter que les premiers accords ne sont pas indignes de la suite de la partition : c'est bien ainsi que Verlaine jugeait ses débuts lorsqu'il écrivait en 1890, dans une préface à ses *Poèmes Saturniens* : « une sorte d'unité relie mes choses premières à celles de mon âge mûr ».

1. LES SAGES D'AUTREFOIS

Les Sages d'autrefois, qui valaient bien ceux-ci,
Crurent, et c'est un point encor mal éclairci,
Lire au ciel les bonheurs ainsi que les désastres,
Et que chaque âme était liée à l'un des astres.
5 (On a beaucoup raillé, sans penser que souvent
Le rire est ridicule autant que décevant,
Cette explication du mystère nocturne.)

Or ceux-là qui sont nés sous le signe SATURNE,
Fauve planète, chère aux nécromanciens [1],
10 Ont entre tous, d'après les grimoires anciens,
Bonne part de malheur et bonne part de bile.
L'Imagination, inquiète et débile,
Vient rendre nul en eux l'effort de la Raison.
Dans leurs veines, le sang, subtil comme un poison,
15 Brûlant comme une lave, et rare, coule et roule
En grésillant leur triste Idéal qui s'écroule.
Tels les Saturniens doivent souffrir et tels
Mourir, — en admettant que nous soyons mortels, —
Leur plan de vie étant dessiné ligne à ligne
20 Par la logique d'une Influence maligne.

                                        P. V.

Les Sages d'autrefois...

① Dans ce poème qui est l'ouverture du recueil et qui en justifie
le titre, Verlaine évoque l'influence astrale sous laquelle il est né.
Cette constatation d'une fatalité s'exprime-t-elle sur un ton tragique?

② Dans quels vers trouve-t-on de l'humour?

③ La vie de Verlaine confirmera-t-elle cette analyse?
Un poème de *Parallèlement* (1889) s'achève sur ces vers :
>   J'ai perdu ma vie et je sais bien
>   Que tout blâme sur moi s'en va fondre :
>   À cela je ne puis que répondre
>   Que je suis vraiment né Saturnien.

---

1. Au sens propre, la *nécromancie* est l'art d'évoquer les morts pour obtenir d'eux la
connaissance de l'avenir. Ici Verlaine semble prendre ce terme au sens d'*astrologie*.

MELANCHOLIA [1]

2. NEVERMORE [2]

Souvenir, souvenir, que me veux-tu? L'automne
Faisait voler la grive à travers l'air atone,
Et le soleil dardait un rayon monotone
Sur le bois jaunissant où la bise détone.

5 Nous étions seul à seule et marchions en rêvant,
Elle et moi, les cheveux et la pensée au vent.
Soudain, tournant vers moi son regard émouvant :
« Quel fut ton plus beau jour? » fit sa voix d'or vivant,

Sa voix douce et sonore, au frais timbre angélique.
10 Un sourire discret lui donna la réplique,
Et je baisai sa main blanche, dévotement.

— Ah! les premières fleurs, qu'elles sont parfumées!
Et qu'il bruit avec un murmure charmant
Le premier *oui* qui sort de lèvres bien-aimées!

3. APRÈS TROIS ANS

Ayant poussé la porte étroite qui chancelle,
Je me suis promené dans le petit jardin
Qu'éclairait doucement le soleil du matin,
Pailletant chaque fleur d'une humide étincelle.

5 Rien n'a changé... J'ai tout revu : l'humble tonnelle
De vigne folle avec les chaises de rotin...
Le jet d'eau fait toujours son murmure argentin
Et le vieux tremble sa plainte sempiternelle.

Les roses comme avant palpitent; comme avant,
10 Les grands lys orgueilleux se balancent au vent.
Chaque alouette qui va et vient m'est connue.

---

1. Eau-forte d'Albert Dürer, qui ornait la chambre de Verlaine. — 2. Jamais plus.

Même j'ai retrouvé debout la Velléda [1],
Dont le plâtre s'écaille au bout de l'avenue,
— Grêle, parmi l'odeur fade du réséda.

4. VOEU

Àh! les oaristys [2]! les premières maîtresses!
L'or des cheveux, l'azur des yeux, la fleur des chairs,
Et puis, parmi l'odeur des corps jeunes et chers,
La spontanéité craintive des caresses!

[5] Sont-elles assez loin, toutes ces allégresses
Et toutes ces candeurs! Hélas! toutes devers
Le printemps des regrets ont fui les noirs hivers
De mes ennuis, de mes dégoûts, de mes détresses!

Si que [3] me voilà seul à présent, morne et seul,
[10] Morne et désespéré, plus glacé qu'un aïeul,
Et tel qu'un orphelin pauvre sans sœur aînée.

Ô la femme à l'amour câlin et réchauffant,
Douce, pensive et brune, et jamais étonnée,
Et qui parfois vous baise au front, comme un enfant!

---

2. Nevermore

① Si l'on en croit J.-H. Bornecque, ce poème est le premier inspiré à Verlaine par sa cousine Élisa. Tenter de préciser les sentiments du poète.

② Étudier les sonorités, notamment à la rime, en s'aidant du jugement suivant : « Au rythme descendant et volontairement déprimant de chaque vers de la première strophe répond dans la seconde un rythme ascendant et toujours plus clair, qui part du rêve pour aller à l'affirmation de la vie » (J.-H. Bornecque).

3. Après trois ans

① Voici encore un poème consacré au souvenir d'Élisa, comme le précédent. Comment Verlaine s'y prend-il pour suggérer son état d'âme? Étudier les différents éléments du cadre évoqué. Quelle est leur valeur symbolique?

② L'évocation du *petit jardin* est-elle précise ou imprécise?

③ Quels pouvaient être les sentiments du poète trois ans plus tôt?

④ Musset a écrit dans *Souvenir : Il n'est pire misère | Qu'un souvenir heureux dans les jours de douleur*. Dans ces deux poèmes, Verlaine vous semble-t-il partager cette opinion?

---

1. Prêtresse gauloise. — 2. Entretien galant, dans la tradition bucolique. En fait, dans ce poème, Verlaine « poétise » singulièrement ses premières expériences. Les deux tercets semblent évoquer encore le souvenir d'Élisa. — 3. Si bien que...

6. MON RÊVE FAMILIER

Je fais souvent ce rêve étrange et pénétrant
D'une femme inconnue, et que j'aime, et qui m'aime,
Et qui n'est, chaque fois, ni tout à fait la même
Ni tout à fait une autre, et m'aime et me comprend.

5 Car elle me comprend, et mon cœur, transparent
Pour elle seule, hélas! cesse d'être un problème
Pour elle seule, et les moiteurs de mon front blême,
Elle seule les sait rafraîchir, en pleurant.

Est-elle brune, blonde ou rousse? — Je l'ignore.
10 Son nom? Je me souviens qu'il est doux et sonore
Comme ceux des aimés que la Vie exila.

Son regard est pareil au regard des statues,
Et, pour sa voix, lointaine, et calme, et grave, elle a
L'inflexion des voix chères qui se sont tues.

7. A UNE FEMME

A vous ces vers, de par la grâce consolante
De vos grands yeux où rit et pleure un rêve doux,
De par votre âme pure et toute bonne, à vous
Ces vers du fond de ma détresse violente.

5 C'est qu'hélas! le hideux cauchemar qui me hante
N'a pas de trêve et va furieux, fou, jaloux,
Se multipliant comme un cortège de loups
Et se pendant après mon sort qu'il ensanglante!

Oh! je souffre, je souffre affreusement, si bien
10 Que le gémissement premier du premier homme
Chassé d'Éden n'est qu'une églogue auprès du mien,

Et les soucis que vous pouvez avoir sont comme
Des hirondelles sur un ciel d'après-midi,
— Chère, — par un beau jour de septembre attiédi.

PAYSAGES TRISTES

A Catulle Mendès

1. SOLEILS COUCHANTS

Une aube affaiblie
Verse par les champs
La mélancolie
Des soleils couchants.
⁵ La mélancolie
Berce de doux chants
Mon cœur qui s'oublie
Aux soleils couchants.
Et d'étranges rêves,
¹⁰ Comme des soleils
Couchants, sur les grèves,
Fantômes vermeils,
Défilent sans trêves,
Défilent, pareils
¹⁵ A de grands soleils
Couchants, sur les grèves.

---

1. Soleils couchants

① Quel est le sujet de ce poème? De l'évocation du paysage ou de la notation de l'état d'âme, quel est, selon vous, l'élément essentiel?

② Étudier la composition : comment le déroulement de la phrase justifie-t-il le titre? Quelle expression revient à plusieurs reprises? Peut-on dire que l'élément pittoresque et l'élément moral tendent à se confondre?

③ Le vers de 5 syllabes vous semble-t-il heureux? Étudiez les sonorités à la rime dans les 8 derniers vers : quel est l'effet produit?

5. CHANSON D'AUTOMNE

Les sanglots longs
Des violons
   De l'automne
Blessent mon cœur
⁵ D'une langueur
   Monotone.

Tout suffocant
Et blême, quand
   Sonne l'heure,
¹⁰ Je me souviens
Des jours anciens
   Et je pleure;

Et je m'en vais
Au vent mauvais
¹⁵   Qui m'emporte
Deçà, delà,
Pareil à la
   Feuille morte.

---

5. Chanson d'automne

① En quoi les deux mots qui forment le titre sont-ils typiquement verlainiens?

② La musique de ce poème est-elle uniforme? Tenter de préciser comment est suggérée une monotonie douloureuse dans la première strophe. N'y a-t-il pas une sorte de paroxysme au début de la deuxième? Le rythme ne devient-il pas alors plus *suffocant*? Pourquoi cependant cette strophe s'achève-t-elle sur un point d'orgue? Dans la troisième strophe n'y a-t-il pas une correspondance subtile entre le rythme et la chute d'une feuille morte?

③ Quels sont les sentiments du poète? Quelle est la coloration affective que prennent successivement le présent, le passé et l'avenir?

④ Qu'est-ce que le *vent mauvais*? Rend-il l'atmosphère tragique ou constitue-t-il seulement un ornement pathétique?

6. L'HEURE DU BERGER

La lune est rouge au brumeux horizon;
Dans un brouillard qui danse, la prairie
S'endort fumeuse, et la grenouille crie
Par les joncs verts où circule un frisson;

5 Les fleurs des eaux referment leurs corolles;
Des peupliers profilent aux lointains,
Droits et serrés, leurs spectres incertains;
Vers les buissons errent les lucioles;

Les chats-huants s'éveillent, et sans bruit
10 Rament l'air noir avec leurs ailes lourdes,
Et le zénith s'emplit de lueurs sourdes.
Blanche, Vénus émerge, et c'est la Nuit.

PH. JEANBOR

Verlaine dans un paysage d'automne
(Lithographie de Cazals, détail)

7. LE ROSSIGNOL

Comme un vol criard d'oiseaux en émoi,
Tous mes souvenirs s'abattent sur moi,
S'abattent parmi le feuillage jaune
De mon cœur mirant son tronc plié d'aune
5 Au tain violet de l'eau des Regrets,
Qui mélancoliquement coule auprès,
S'abattent, et puis la rumeur mauvaise
Qu'une brise moite en montant apaise,
S'éteint par degrés dans l'arbre, si bien
10 Qu'au bout d'un instant on n'entend plus rien,
Plus rien que la voix célébrant l'Absente,
Plus rien que la voix — ô si languissante! —
De l'oiseau que fut mon Premier Amour,
Et qui chante encor comme au premier jour;
15 Et, dans la splendeur triste d'une lune
Se levant blafarde et solennelle, une
Nuit mélancolique et lourde d'été,
Pleine de silence et d'obscurité,
Berce sur l'azur qu'un vent doux effleure
20 L'arbre qui frissonne et l'oiseau qui pleure.

---

7. Le rossignol

① Comment peut-on comprendre le titre de ce poème? S'agit-il d'une description pittoresque pure et simple?

② Comment ce poème est-il composé? Combien de phrases comporte-t-il? Quelles expressions sont répétées? Quel est l'effet de ces reprises?

③ D'après J.-H. Bornecque, l'*Absente* célébrée ici par Verlaine serait sa cousine Élisa. Préciser la tonalité sentimentale de ces vers.

ÉPILOGUE

1

Le soleil, moins ardent, luit clair au ciel moins dense.
Balancés par un vent automnal et berceur,
Les rosiers du jardin s'inclinent en cadence.
L'atmosphère ambiante a des baisers de sœur.

⁵ La Nature a quitté pour cette fois son trône
De splendeur, d'ironie et de sérénité :
Clémente, elle descend, par l'ampleur de l'air jaune,
Vers l'homme, son sujet pervers et révolté.

Du pan de son manteau, que l'abîme constelle,
¹⁰ Elle daigne essuyer les moiteurs de nos fronts,
Et son âme éternelle et sa forme immortelle
Donnent calme et vigueur à nos cœurs mous et prompts.

Le frais balancement des ramures chenues,
L'horizon élargi plein de vagues chansons,
¹⁵ Tout, jusqu'au vol joyeux des oiseaux et des nues,
Tout, aujourd'hui, console et délivre. — Pensons.

2

Donc, c'en est fait. Ce livre est clos. Chères Idées
Qui rayiez mon ciel gris de vos ailes de feu
Dont le vent caressait mes tempes obsédées,
²⁰ Vous pouvez revoler devers l'Infini bleu!

Et toi, Vers qui tintait, et toi, Rime sonore,
Et vous, Rythmes chanteurs, et vous, délicieux
Ressouvenirs, et vous, Rêves, et vous encore,
Images qu'évoquaient mes désirs anxieux,

25 Il faut nous séparer. Jusqu'aux jours plus propices
   Où nous réunira l'Art, notre maître, adieu,
   Adieu, doux compagnons, adieu, charmants complices!
   Vous pouvez revoler devers l'Infini bleu.

   Aussi bien, nous avons fourni notre carrière,
30 Et le jeune étalon de notre bon plaisir,
   Tout affolé qu'il est de sa course première,
   A besoin d'un peu d'ombre et de quelque loisir.

   — Car toujours nous t'avons fixée, ô Poésie,
   Notre astre unique et notre unique passion,
35 T'ayant seule pour guide et compagne choisie,
   Mère, et nous méfiant de l'Inspiration.

3

   Ah! l'Inspiration superbe et souveraine,
   L'Égérie [1] aux regards lumineux et profonds,
   Le Genium commode et l'Erato [2] soudaine,
40 L'Ange des vieux tableaux avec des ors au fond,

   La Muse, dont la voix est puissante sans doute,
   Puisqu'elle fait d'un coup dans les premiers cerveaux,
   Comme ces pissenlits dont s'émaille la route,
   Pousser tout un jardin de poëmes nouveaux,

45 La Colombe, le Saint-Esprit, le Saint Délire,
   Les Troubles opportuns, les Transports complaisants,
   Gabriel [3] et son luth, Apollon et sa lyre,
   Ah! l'Inspiration, on l'invoque à seize ans!

   Ce qu'il nous faut à nous, les Suprêmes Poëtes
50 Qui vénérons les Dieux et qui n'y croyons pas,
   A nous dont nul rayon n'auréola les têtes,
   Dont nulle Béatrix [4] n'a dirigé les pas,

---

1. Nymphe inspiratrice de Numa Pompilius, deuxième roi de Rome; son nom désigne
toute conseillère dont les avis secrets sont écoutés. — 2. Muse de la poésie élégiaque.
— 3. Archange de l'Annonciation, qui passe aussi pour avoir dicté le Coran à Mahomet.
— 4. Femme idéalisée par Dante dans la *Divine Comédie*.

A nous qui ciselons les mots comme des coupes
Et qui faisons des vers émus très froidement,
55 A nous qu'on ne voit point les soirs aller par groupes
Harmonieux au bord des *lacs* et nous pâmant,

Ce qu'il nous faut, à nous, c'est, aux lueurs des lampes,
La science conquise et le sommeil dompté,
C'est le front dans les mains du vieux Faust des estampes,
60 C'est l'Obstination et c'est la Volonté !

C'est la Volonté sainte, absolue, éternelle,
Cramponnée au projet comme un noble condor
Aux flancs fumants de peur d'un buffle, et d'un coup d'aile
Emportant son trophée à travers les cieux d'or !

65 Ce qu'il nous faut à nous, c'est l'étude sans trêve,
C'est l'effort inouï, le combat nonpareil,
C'est la nuit, l'âpre nuit du travail, d'où se lève
Lentement, lentement ! l'Œuvre, ainsi qu'un soleil !

Libre à nos Inspirés, cœurs qu'une œillade enflamme,
70 D'abandonner leur être aux vents comme un bouleau ;
Pauvres gens ! l'Art n'est pas d'éparpiller son âme :
Est-elle en marbre, ou non, la Vénus de Milo ?

Nous donc, sculptons avec le ciseau des Pensées
Le bloc vierge du Beau, Paros immaculé [1],
75 Et faisons-en surgir sous nos mains empressées
Quelque pure statue au péplos étoilé,

Afin qu'un jour, frappant de rayons gris et roses
Le chef-d'œuvre serein, comme un nouveau Memnon [2],
L'Aube-Postérité, fille des Temps moroses,
80 Fasse dans l'air futur retentir notre nom !

_____

1. Cf. Gautier : « Lutte avec le Carrare, | Avec le Paros dur, | Et rare, | Gardiens du contour pur » *(L'art)*. — 2. Personnage fabuleux de l'ancienne Égypte, fils de l'Aurore. Sa statue passait pour faire entendre des sons harmonieux à chaque soleil levant.

Épilogue

Un beau sonnet parnassien s'achève souvent sur un vers assez claironnant. Quoique ses *Poèmes Saturniens* soient au total bien peu parnassiens, Verlaine a voulu les conclure de la même manière avec cet épilogue.

① En quoi ce poème peut-il être considéré comme un art poétique? Préciser la critique d'un certain romantisme : quels poètes et quels poèmes Verlaine semble-t-il viser ici? En quoi se rapproche-t-il de Gautier, de Leconte de Lisle, voire de Baudelaire?

② Cette conception de la poésie vous paraît-elle originale en 1866?

③ Reconnaît-on la « main » de Verlaine dans ce poème?

④ A propos du v. 36, Anatole France, apostrophant Verlaine, écrivait : *Sans doute elle est en marbre. Mais, pauvre enfant malade, secoué par des frissons douloureux, tu n'en es pas moins condamné à chanter comme la feuille en tremblant, et tu ne connaîtras jamais de la vie et du monde que les troubles de ta chair et de ton sang.*

Sur l'ensemble des Poèmes Saturniens :

« Non certes, les *Poèmes Saturniens* publiés en 1867 [...] n'annonçaient point le poète le plus singulier, le plus monstrueux et le plus mystique, le plus compliqué et le plus simple, le plus troublé, le plus fou, mais à coup sûr le plus inspiré et le plus vrai des poètes contemporains. Pourtant, à travers les morceaux de facture, et malgré le faire de l'école, on y devinait une espèce de génie étrange, malheureux et tourmenté. Les connaisseurs y avaient pris garde et M. Émile Zola se demandait, dit-on, lequel irait le plus loin de Paul Verlaine ou de François Coppée » (A. France, *La vie littéraire* IIIe série). Que pensez-vous de ce jugement?

Verlaine au temps des Poèmes Saturniens (Caricature de Péaron)
(La Plume 1-2-1896)

BIBL. JACQUES DOUCET
PH. JEANBOR

Paul Verlaine en 1869
(Dessin de Péaron)

FÊTES GALANTES (1869)

Si les *Poèmes Saturniens* étaient assez disparates, ce qui frappe le plus dans les *Fêtes galantes* c'est leur homogénéité. On assiste aux allées et venues de personnages empruntés le plus souvent à la Comédie Italienne dans un décor qui a la grâce légèrement mélancolique des peintres du XVIIIᵉ siècle, et notamment de Watteau. C'est un fait que le XVIIIᵉ siècle était alors à la mode : Gautier lui avait déjà emprunté le sujet de plusieurs poèmes, et il est très probable que Verlaine connaissait aussi, et admirait, la *Fête chez Thérèse*, pièce des *Contemplations*, où Hugo faisait évoluer les Pulcinella, Arlequin et Scaramouche traditionnels. Watteau était un peu le symbole de son siècle, et J.-H. Bornecque peut dire à juste titre qu'il y avait une sorte de « nostalgie de l'univers de Watteau », considéré comme un âge d'or « à l'aube du machinisme autoritaire ». Certes il n'y avait pas de musée imaginaire aussi abondant et facilement accessible que de nos jours, mais outre quelques toiles de Watteau que Verlaine avait sans doute vues, il connaissait l'étude que les Goncourt avaient consacrée au peintre en 1860. La Comédie Italienne, elle aussi, était à la mode. Ces deux éléments, qui à vrai dire n'en font qu'un, constituent les données extérieures de l'inspiration de Verlaine.

Mais on se tromperait fort à voir dans ce petit recueil uniquement la distraction gratuite d'un dilettante qui joue avec sa culture, pas plus que la perfection de la forme ne doit faire croire à une œuvre impersonnelle. Comme dans les *Poèmes Saturniens*, Verlaine est encore bien présent dans cette œuvre et sa mélancolie s'ajoute à celle de Watteau ou s'y substitue. Même lorsqu'il rêve à des formes gracieuses Verlaine garde son âme inquiète : la fête n'est pas finie qu'on y pressent déjà la tristesse de l'aube, et le bonheur cache à peine son travestissement d'illusions.

CLAIR DE LUNE

Votre âme est un paysage choisi
Que vont charmant masques et bergamasques [1],
Jouant du luth, et dansant, et quasi
Tristes sous leurs déguisements fantasques.

[5] Tout en chantant sur le mode mineur
L'amour vainqueur et la vie opportune,
Ils n'ont pas l'air de croire à leur bonheur
Et leur chanson se mêle au clair de lune,

Au calme clair de lune triste et beau,
[10] Qui fait rêver les oiseaux dans les arbres
Et sangloter d'extase les jets d'eau,
Les grands jets d'eau sveltes parmi les marbres [2].

Clair de lune

① Quel est le sujet de ce poème? Montrer que, dès le premier vers, il doit sa richesse à une sorte de « correspondance » baudelairienne; quels vers de Baudelaire commencent par une expression analogue (notre âme, mon âme, mon cœur) et ont la même structure?

② Comment les strophes s'enchaînent-elles, tant au point de vue du rythme que de l'enrichissement progressif de l'évocation?

③ Cette fête galante est-elle gaie? Pourquoi le mode est-il « mineur »? Quelle est exactement l'atmosphère de cette pièce?

④ Relever et analyser les divers « effets », des plus voyants aux plus subtils.

⑤ A propos de l'art de Verlaine dans ce poème, A. France écrivait : *L'accent était nouveau, singulier, profond.* Que peut-on entendre par là?

---

1. A la fois habitants et danses de Bergame. Savante ambiguïté! — 2. Baudelaire, dans *le Jet d'eau* écoute « *la plainte éternelle qui sanglote dans les bassins* » :
> *Dans la cour le jet d'eau qui jase*
> *Et ne se tait ni nuit ni jour*
> *Entretient doucement l'extase*
> *Où ce soir m'a plongé l'amour.*

Mais l'atmosphère est-elle la même?

PANTOMIME

Pierrot, qui n'a rien d'un Clitandre [1],
Vide un flacon sans plus attendre,
Et, pratique, entame un pâté.

Cassandre [2], au fond de l'avenue,
5 Verse une larme méconnue
Sur son neveu déshérité.

Ce faquin d'Arlequin combine
L'enlèvement de Colombine
Et pirouette quatre fois.

10 Colombine rêve, surprise
De sentir un cœur dans la brise
Et d'entendre en son cœur des voix.

SUR L'HERBE

L'abbé [3] divague — Et toi, marquis,
Tu mets de travers ta perruque.
— Ce vieux vin de Chypre est exquis,
Moins, Camargo [4], que votre nuque.

5 — Ma flamme... — Do, mi, sol, la, si.
— L'abbé, ta noirceur se dévoile!
— Que je meure, Mesdames, si
Je ne vous décroche une étoile!

— Je voudrais être petit chien!
10 — Embrassons nos bergères, l'une
Après l'autre. — Messieurs, eh bien?
— Do, mi, sol. — Hé! bonsoir, la Lune!

---

1. Sentimental et rêveur. Dans la comédie italienne, c'est Pierrot qui joue en général ce rôle. — 2. Vieillard acariâtre et avare. — 3. Abbé galant du XVIIIe siècle. — 4. Nom de belle, qu'on retrouve dans les comédies de Musset et notamment dans *les Marrons du feu.*

L'ALLÉE

Fardée et peinte comme au temps des bergeries,
Frêle parmi les nœuds énormes de rubans,
Elle passe, sous les ramures assombries,
Dans l'allée où verdit la mousse des vieux bancs,
⁵ Avec mille façons et mille afféteries
Qu'on garde d'ordinaire aux perruches chéries.
Sa longue robe à queue est bleue, et l'éventail
Qu'elle froisse en ses doigts fluets aux larges bagues
S'égaie en des sujets érotiques, si vagues
¹⁰ Qu'elle sourit, tout en rêvant, à maint détail.
— Blonde en somme. Le nez mignon avec la bouche
Incarnadine [1], grasse, et divine d'orgueil
Inconscient. — D'ailleurs plus fine que la mouche
Qui ravive l'éclat un peu niais de l'œil.

Pantomime

① Bien qu'il soit très court, ce petit poème n'est pas uniforme.
Tenter de préciser le ton de chaque strophe. Des personnages
évoqués, lequel a le plus d'épaisseur? Pourquoi?

Sur l'herbe

① Comment peut-on se représenter la scène évoquée ici? A quoi
et à qui correspondent les différents instantanés de conversation?
② S'agit-il vraiment d'un dialogue? Combien peut-on dénombrer
de personnages? Étudier la variété du ton de chaque réplique.
Le décousu volontaire du dialogue nuit-il à l'unité de la scène?
Peut-on préciser les attitudes et les mouvements suggérés?
③ Ce poème est-il « poétique », au sens habituel de ce terme?
Quel en est l'intérêt?

L'allée

① En quoi ce poème fait-il contraste avec les précédents? Quel
en est le sujet? Peut-on en préciser l'atmosphère?
② Comment est esquissée cette silhouette? Indiquer les lignes,
les couleurs, les sons, le mouvement qui la caractérisent. Y a-t-il
un rapport profond entre le personnage qui occupe le premier plan
et le décor dans lequel il évolue?
③ Un critique a dit de cette jeune personne qu'elle était « minau-
dière et rêveuse » : préciser ces deux éléments.
④ Peut-on relever dans ce poème des traces d'humour?

---

1. D'un rouge un peu moins vif que l'incarnat. Cette atténuation est typique de l'art
de Verlaine.

A LA PROMENADE

Le ciel si pâle et les arbres si grêles
Semblent sourire à nos costumes clairs
Qui vont flottant légers avec des airs
De nonchalance et des mouvements d'ailes.

5 Et le vent doux ride l'humble bassin,
Et la lueur du soleil qu'atténue
L'ombre des bas tilleuls de l'avenue
Nous parvient bleue et mourante à dessein.

Trompeurs exquis et coquettes charmantes,
10 Cœurs tendres mais affranchis du serment,
Nous devisons délicieusement,
Et les amants lutinent les amantes

De qui la main imperceptible sait
Parfois donner un soufflet qu'on échange
15 Contre un baiser sur l'extrême phalange
Du petit doigt, et comme la chose est

Immensément excessive et farouche,
On est puni par un regard très sec,
Lequel contraste, au demeurant, avec
20 La moue assez clémente de la bouche.

DANS LA GROTTE

La! Je me tue à vos genoux!
Car ma détresse est infinie,
Et la tigresse épouvantable d'Hyrcanie [1]
Est une agnelle au prix de vous.

5 Oui, céans, cruelle Clymène,
Ce glaive, qui dans maints combats
Mit tant de Scipions et de Cyrus à bas,
Va finir ma vie et ma peine!

---

1. Contrée de l'ancienne Perse, célèbre par ses tigres.

10
      Ai-je même besoin de lui
        Pour descendre aux Champs Élysées?
   Amour perça-t-il pas de flèches aiguisées
      Mon cœur, dès que votre œil m'eut lui?

LES INGÉNUS

Les hauts talons luttaient avec les longues jupes,
En sorte que, selon le terrain et le vent,
Parfois luisaient des bas de jambes, trop souvent
Interceptés! — et nous aimions ce jeu de dupes.

5 Parfois aussi le dard d'un insecte jaloux
Inquiétait le col des belles sous les branches,
Et c'était des éclairs soudains de nuques blanches,
Et ce régal comblait nos jeunes yeux de fous.

Le soir tombait, un soir équivoque d'automne :
10 Les belles, se pendant rêveuses à nos bras,
Dirent alors des mots si spécieux, tout bas,
Que notre âme depuis ce temps tremble et s'étonne.

Dans la grotte

① Peut-on dire qu'il y a de la préciosité dans ce petit poème?
Quels éléments précieux pourrait-on relever?

② Les vers sont-ils uniformes? Quel est l'intérêt de leur agence-
ment? A quelle intention répond la présence d'un alexandrin dans
chaque strophe d'octosyllabes?

③ Verlaine déclarera plus tard dans son *Art poétique* : « Fuis du
plus loin la Pointe assassine » : n'y a-t-il pas cependant quelques
pointes ici? Peut-on en conclure qu'il faut condamner ce poème?

Les ingénus

① Ce poème débute par des notations pittoresques relativement
précises : cette précision se maintient-elle jusqu'au bout? En quoi
l'atmosphère est-elle typiquement verlainienne (on analysera
notamment le v. 9)?

② Le ton est-il le même dans les trois strophes? Est-il possible
de préciser la coloration sentimentale de chacune? Y a-t-il une
progression?

③ Ces « ingénus » sont-ils heureux?

FANTOCHES

Scaramouche et Pulcinella [1]
Qu'un mauvais dessein rassembla
Gesticulent, noirs sur la lune.

Cependant l'excellent docteur
5 Bolonais [2] cueille avec lenteur
Des simples parmi l'herbe brune.

Lors sa fille, piquant minois,
Sous la charmille, en tapinois,
Se glisse demi-nue, en quête

10 De son beau pirate espagnol,
Dont un langoureux rossignol
Clame la détresse à tue-tête.

LE FAUNE

Un vieux faune de terre cuite
Rit au centre des boulingrins,
Présageant sans doute une suite
Mauvaise à ces instants sereins

5 Qui m'ont conduit et t'ont conduite,
— Mélancoliques pèlerins, —
Jusqu'à cette heure dont la fuite
Tournoie au son des tambourins.

---

1. Deux personnages masculins de la comédie italienne. — 2. Personnage de la comédie italienne, auquel, d'après J.-H. Bornecque, Verlaine prête ici les traits de Pantalon, type de vieillard avare.

MANDOLINE

Les donneurs de sérénades
Et les belles écouteuses
Échangent des propos fades
Sous les ramures chanteuses.

5 C'est Tircis et c'est Aminte [1],
Et c'est l'éternel Clitandre [2].
Et c'est Damis qui pour mainte
Cruelle fait maint vers tendre.

Leurs courtes vestes de soie,
10 Leurs longues robes à queues,
Leur élégance, leur joie
Et leurs molles ombres bleues

Tourbillonnent dans l'extase
D'une lune rose et grise,
15 Et la mandoline jase
Parmi les frissons de brise.

Le faune

① Ce *vieux faune* est-il un simple ornement décoratif ? Que peut-il symboliser au milieu d'une fête galante ? Est-il indifférent qu'il soit vieux ? Pourquoi rit-il ?

② Quel est le rythme de ce poème ? Le fait qu'il ne comporte qu'une seule phrase traduit-il de la lenteur ou de la rapidité ? Les *pèlerins* trouvent-ils le repos à la fin ?

③ Est-ce le rire ou la mélancolie qui l'emporte ?

④ Ce poème vous semble-t-il être d'une substance un peu mince ou bien constituer une grande réussite poétique ?

1. Couple d'amoureux, dans *Aminta*, comédie pastorale du Tasse (1572). — 2. On trouve maint personnage de ce nom, chez Corneille et chez Molière; voir p. 31, note 1.

COLOMBINE

Léandre le sot,
Pierrot qui d'un saut
    De puce
Franchit le buisson,
⁵ Cassandre[1] sous son
      Capuce[2],

Arlequin aussi,
Cet aigrefin si
      Fantasque,
¹⁰ Aux costumes fous,
Ses yeux luisants sous
      Son masque,

    — Do, mi, sol, mi, fa, —
Tout ce monde va,
¹⁵   Rit, chante
Et danse devant
Une belle enfant
      Méchante

Dont les yeux pervers
²⁰ Comme les yeux verts
      Des chattes
Gardent ses appas
Et disent : « A bas
      Les pattes! »

²⁵ — Eux ils vont toujours! —
Fatidique cours
      Des astres,
Oh! dis-moi vers quels
Mornes ou cruels
³⁰   Désastres

L'implacable enfant,
Preste et relevant
      Ses jupes,
La rose au chapeau,
³⁵ Conduit son troupeau
      De dupes?

---

1. Voir p. 31, n. 2. — 2. Petit capuchon porté en général par les moines.

PH. BULLOZ

Tableau de Watteau (fragment)

Colombine

① La fin des *Fêtes galantes* n'est pas loin : il n'y a que trois poèmes
après *Colombine*. Les différents personnages sont rassemblés ici,
comme pour la dernière scène d'une comédie. Mais s'agit-il bien
d'une comédie? Comment passe-t-on d'une ronde enjouée à une
aventure tragique? Quelles expressions caractéristiques en
marquent les paliers?

② Dans l'*Art poétique* Verlaine proclamera : *Ô qui dira les torts
de la Rime!* Ce poème justifie-t-il une telle sévérité? N'y a-t-il
pas une correspondance subtile entre Colombine séductrice et Verlaine versificateur?

L'AMOUR PAR TERRE

Le vent de l'autre nuit a jeté bas l'Amour
Qui, dans le coin le plus mystérieux du parc,
Souriait en bandant malignement son arc,
Et dont l'aspect nous fit tant songer tout un jour!

5 Le vent de l'autre nuit l'a jeté bas! Le marbre
Au souffle du matin tournoie, épars. C'est triste
De voir le piédestal, où le nom de l'artiste
Se lit péniblement parmi l'ombre d'un arbre,

Oh! c'est triste de voir debout le piédestal
10 Tout seul! Et des pensers mélancoliques vont
Et viennent dans mon rêve où le chagrin profond
Évoque un avenir solitaire et fatal.

Oh! c'est triste! — Et toi-même, est-ce pas? es touchée
D'un si dolent tableau, bien que ton œil frivole
15 S'amuse au papillon de pourpre et d'or qui vole
Au-dessus des débris dont l'allée est jonchée.

EN SOURDINE

Calmes dans le demi-jour
Que les branches hautes font,
Pénétrons bien notre amour
De ce silence profond.

5 Fondons nos âmes, nos cœurs
Et nos sens extasiés,
Parmi les vagues langueurs
Des pins et des arbousiers.

Ferme tes yeux à demi,
10 Croise tes bras sur ton sein,
Et de ton cœur endormi
Chasse à jamais tout dessein.

Laissons-nous persuader
Au souffle berceur et doux
¹⁵ Qui vient à tes pieds rider
Les ondes de gazon roux.

Et quand, solennel, le soir
Des chênes noirs tombera,
Voix de notre désespoir,
²⁰ Le rossignol chantera.

COLLOQUE SENTIMENTAL

Dans le vieux parc solitaire et glacé,
Deux formes ont tout à l'heure passé.

Leurs yeux sont morts et leurs lèvres sont molles,
Et l'on entend à peine leurs paroles.

⁵ Dans le vieux parc solitaire et glacé,
Deux spectres ont évoqué le passé.

— Te souvient-il de notre extase ancienne?
— Pourquoi voulez-vous donc qu'il m'en souvienne?

— Ton cœur bat-il toujours à mon seul nom?
¹⁰ Toujours vois-tu mon âme en rêve? — Non.

En sourdine

① J.-P. Richard considère comme très typique de l'attitude de
Verlaine la troisième strophe de ce poème, et il la commente en
ces termes : *En face des choses, l'être verlainien adopte spontanément
une attitude de passivité, d'attente. Vers leur lointain inconnu il ne
projette pas sa curiosité ni son désir, il ne tente même pas de les
dévoiler, de les attirer à lui et de s'en rendre maître; il demeure
immobile et tranquille, content de cultiver en lui les vertus de porosité
qui lui permettront de mieux se laisser pénétrer par elles quand elles
auront daigné se manifester à lui.* Peut-on appliquer ce commentaire
à l'ensemble de l'œuvre de Verlaine?

— Ah! les beaux jours de bonheur indicible
Où nous joignions nos bouches! — C'est possible.

— Qu'il était bleu, le ciel, et grand, l'espoir!
— L'espoir a fui, vaincu, vers le ciel noir.

¹⁵ Tels ils marchaient dans les avoines folles,
Et la nuit seule entendit leurs paroles.

Colloque sentimental

① Le poème correspond-il à son titre? N'y a-t-il pas là un décalage voulu?

② Quel est le thème du poème? A-t-il des précédents dans la poésie romantique?

③ Tenter de dégager l'originalité de Verlaine :
a) Avons-nous l'impression que les personnages sont vivants? Quels termes Verlaine a-t-il employés pour les désigner?
b) Le décor correspond-il à la scène qui s'y joue?
c) Le dialogue contribue-t-il à rapprocher ou à éloigner les personnages?
d) Sur quelle impression nous laisse le dernier distique?

④ C'est sur ce poème que s'achèvent *les Fêtes galantes*. Ne donne-t-il pas rétrospectivement un sens particulier au recueil?

Sur l'ensemble des « Fêtes galantes »

« Paul Verlaine s'y [montre] dans son ingénuité troublante, avec je ne sais quoi de gauche et de frêle d'un charme inconcevable. Qu'est-ce donc que ces fêtes galantes? Elles se donnent dans la Cythère de Watteau. Mais si l'on va encore au bois par couples, le soir, les lauriers sont coupés, comme dit la chanson, et les herbes magiques qui ont poussé à la place exhalent une langueur mortelle. Verlaine, qui est de ces musiciens qui jouent faux par raffinement, a mis bien des discordances dans ces airs de menuet, et son violon grince parfois effroyablement, mais soudain tel coup d'archet vous déchire le cœur. Le méchant ménétrier vous a pris l'âme. » (A. France, *La vie littéraire*, IIIᵉ série).

① Analysez ce jugement et dites s'il rend bien compte de l'atmosphère des *Fêtes galantes*.

LA BONNE CHANSON (1870)

La Bonne Chanson est le plus directement autobiographique de tous les recueils de Verlaine : il lui a été inspiré par ses fiançailles et son futur mariage avec Mathilde Mauté. L'œuvre est sans mystère : Verlaine évoque l'apparition de la jeune fille et aussi les rêves qu'il fait lui-même, à cette époque, d'une vie plus calme et plus sage, d'un bonheur dont l'équilibre lui cache encore la médiocrité. Mais, si l'homme est très présent dans la Bonne Chanson, le poète l'est beaucoup moins et il est peu contestable que la plupart de ces vers se situent à un niveau poétique inférieur à celui des deux précédents recueils. Verlaine semble y oublier que l'expression trop directe peut être mortelle à la poésie et que l'allégorie attire, presque aussi inévitablement qu'un crime son châtiment, l'épithète de froide. On voit ainsi la « naïveté » de Verlaine s'y dégrader souvent en mièvrerie.

5

Avant que tu ne t'en ailles,
Pâle étoile du matin,
— Mille cailles
Chantent, chantent dans le thym. —

⁵ Tourne devers¹ le poète,
Dont les yeux sont pleins d'amour,
— L'alouette
Monte au ciel avec le jour. —

Tourne ton regard que noie
¹⁰ L'aurore dans son azur;
— Quelle joie
Parmi les champs de blé mûr! —

Puis fais luire ma pensée
Là-bas, bien loin, oh! bien loin!
¹⁵ — La rosée
Gaîment brille sur le foin. —

Dans le doux rêve où s'agite
Ma mie endormie encor...
— Vite, vite,
²⁰ Car voici le soleil d'or! —

6

La lune blanche
Luit dans les bois;
De chaque branche
Part une voix
⁵ Sous la ramée...

Ô bien-aimée.

---

1. Préposition employée en général par Verlaine de préférence à *vers* (voir p. 18, v. 6).

L'étang reflète,
Profond miroir,
La silhouette
¹⁰ Du saule noir
Où le vent pleure...

Rêvons, c'est l'heure.

Un vaste et tendre
Apaisement
¹⁵ Semble descendre
Du firmament
Que l'astre irise...

C'est l'heure exquise.

---

5 et 6

① Ces deux poèmes vous paraissent-ils ressembler au reste de
la Bonne Chanson? En quoi consiste leur originalité? Qu'est-ce qui
les apparente l'un à l'autre?

② Comment se trouve évoqué dans les deux cas un spectacle de la
nature avec sa lumière, ses bruits, sa couleur? Y a-t-il un rapport
entre ce spectacle et les sentiments que le poète laisse deviner (5)
ou bien les appels explicites qu'il adresse à la personne aimée?
Qu'est-ce qui donne à chaque poème son unité?

③ Comment se manifeste l'habileté rythmique de Verlaine?
Étudier notamment la façon dont Verlaine manie la petite strophe
composée elle-même de vers courts. Quel est l'intérêt des vers
entre tirets (5) ou du vers détaché à la fin de chaque strophe (6)?

④ De quelles autres poésies de Verlaine peut-on rapprocher celles-
ci?

14

Le foyer, la lueur étroite de la lampe;
La rêverie avec le doigt contre la tempe
Et les yeux se perdant parmi les yeux aimés;
L'heure du thé fumant et des livres fermés;
⁵ La douceur de sentir la fin de la soirée;
La fatigue charmante et l'attente adorée
De l'ombre nuptiale et de la douce nuit,
Oh! tout cela, mon rêve attendri le poursuit
Sans relâche, à travers toutes remises vaines,
¹⁰ Impatient des mois, furieux des semaines!

15

J'ai presque peur, en vérité,
Tant je sens ma vie enlacée
A la radieuse pensée
Qui m'a pris l'âme l'autre été,

⁵ Tant votre image, à jamais chère,
Habite en ce cœur tout à vous,
Mon cœur uniquement jaloux
De vous aimer et de vous plaire;

Et je tremble, pardonnez-moi
¹⁰ D'aussi franchement vous le dire,
A penser qu'un mot, un sourire
De vous est désormais ma loi,

Et qu'il vous suffirait d'un geste,
D'une parole ou d'un clin d'œil,
¹⁵ Pour mettre tout mon être en deuil
De son illusion céleste.

Mais plutôt je ne veux vous voir,
L'avenir dût-il m'être sombre
Et fécond en peines sans nombre,
²⁰ Qu'à travers un immense espoir,

Plongé dans ce bonheur suprême
De me dire encore et toujours,
En dépit des mornes retours,
Que je vous aime, que je t'aime!

17

N'est-ce pas? en dépit des sots et des méchants
Qui ne manqueront pas d'envier notre joie,
Nous serons fiers parfois et toujours indulgents.

5 N'est-ce pas? nous irons, gais et lents, dans la voie
Modeste que nous montre en souriant l'Espoir,
Peu soucieux qu'on nous ignore ou qu'on nous voie.

Isolés dans l'amour ainsi qu'en un bois noir,
Nos deux cœurs, exhalant leur tendresse paisible,
Seront deux rossignols qui chantent dans le soir.

10 Quant au Monde, qu'il soit envers nous irascible
Ou doux, que nous feront ses gestes? Il peut bien,
S'il veut, nous caresser ou nous prendre pour cible.

Unis par le plus fort et le plus cher lien,
Et d'ailleurs possédant l'armure adamantine,
15 Nous sourirons à tous et n'aurons peur de rien.

Sans nous préoccuper de ce que nous destine
Le Sort, nous marcherons pourtant du même pas,
Et la main dans la main, avec l'âme enfantine

De ceux qui s'aiment sans mélange, n'est-ce pas!

---

15. « J'ai presque peur en vérité... »

① Ne peut-on voir dans ce poème une sorte de lettre d'amour?
Quel en est le ton général?
② En quoi les sentiments de Verlaine apparaissent-ils complexes?
Quelle part respective revient à l'espoir et à la peur? Qu'attend-il
de sa fiancée et que redoute-t-il de lui?
③ La connaissance de la vie de Verlaine peut-elle ajouter un
intérêt supplémentaire à ce poème?

19

Donc, ce sera par un clair jour d'été :
Le grand soleil, complice de ma joie,
Fera, parmi le satin et la soie,
Plus belle encor votre chère beauté;

[5] Le ciel tout bleu, comme une haute tente,
Frissonnera somptueux à longs plis
Sur nos deux fronts heureux qu'auront pâlis
L'émotion du bonheur et l'attente;

Et quand le soir viendra, l'air sera doux
[10] Qui se jouera, caressant, dans vos voiles,
Et les regards paisibles des étoiles
Bienveillamment souriront aux époux.

Sur l'ensemble de « la Bonne Chanson »

Edmond Lepelletier, ami de Verlaine, sans admirer totalement
la Bonne Chanson, saluait dans ce recueil une rupture décisive
avec l' « artisterie » parnassienne, et l'ébauche d'une « nouvelle
poétique ». Au contraire, un critique moderne, Jacques Borel
écrit :
« L'obsession de la pureté... perce dans la plupart des pièces
de *la Bonne Chanson*. Pourtant, elle ne trouve pour s'exprimer
que les mots les plus convenus, vocabulaire abstrait, allégories
faciles, vers sentencieux ou prosaïques. Banalité volontaire, on veut
le croire, mais qui interdit de voir avec Lepelletier l'apparition dans
la Bonne Chanson d'une « nouvelle poétique ». C'est d'un retour
aux jeux anciens, à l'expression traditionnelle du lyrisme et de
l'élégiaque, qu'il s'agit au contraire, et qui ajoute au côté Second
Empire, ruche et crinoline, de l'œuvre. »
Auquel de ces deux jugements vous ralliez-vous le plus volon-
tiers?

Rimbaud, par Fantin-Latour

ROMANCES SANS PAROLES (1874)

Les *Romances sans paroles* sont un court recueil qui comprend essentiellement *Ariettes oubliées*, *Paysages belges* et *Aquarelles*. La plupart de ces pièces ont été composées pendant l'intimité avec Rimbaud. Cependant l'influence de ce dernier semble très mince, et il est probable que, sans l'avertissement du biographe, le critique ne la distinguerait pas. Les *Ariettes oubliées*, au titre significatif puisqu'une *ariette* est une chansonnette, valent par leur musique, portée jusqu'à son plus haut degré de pureté, mais Verlaine n'avait pas besoin de Rimbaud pour infléchir son art dans ce sens, lui qui s'était montré un poète très « musical » dès son premier recueil. Quant aux évocations de paysages belges, plus qu'à Rimbaud, elles doivent aux peintres impressionnistes que Verlaine connaissait et fréquentait et dont, à cette époque, il suivait d'assez près les recherches; en tout cas, ses notations brèves, ses instantanés de lumière et les phrases courtes, souvent nominales, qui les expriment, relèvent de la même esthétique que celle que venait de découvrir Manet.

ARIETTES   OUBLIÉES

1

C'est l'extase langoureuse,
C'est la fatigue amoureuse,
C'est tous les frissons des bois
Parmi l'étreinte des brises,
⁵ C'est, vers les ramures grises,
Le chœur des petites voix.

O le frêle et frais murmure!
Cela gazouille et susurre,
Cela ressemble au cri doux
¹⁰ Que l'herbe agitée expire...
Tu dirais, sous l'eau qui vire,
Le roulis sourd des cailloux.

Cette âme qui se lamente
En cette plainte dormante
¹⁵ C'est la nôtre, n'est-ce pas?
La mienne, dis, et la tienne,
Dont s'exhale l'humble antienne
Par ce tiède soir, tout bas?

---

1. « C'est l'extase langoureuse... »

① Dans ce poème Verlaine veut suggérer un état d'âme (*cf.* dernière strophe) : comment s'y prend-il? Relever les différentes images qui composent les deux premières strophes : à leur propos, A. Adam écrit : « Ces images, Verlaine ne les construit pas, et parce qu'il n'ose pas encore supprimer le verbe dans ses phrases, il emploie avec insistance le plus insignifiant, le plus incolore, le plus inactif de tous les verbes, le verbe *être*. La langue s'allège et se dépouille. »
② Quels sont les sentiments du poète? Sont-ils violents?
③ Une ariette, étant une chanson, doit comporter « de la musique avant toute chose » : quelle est la voyelle dominante de la première strophe? Que traduit-elle? Quelles allitérations ponctuent la deuxième strophe? Quelle est leur valeur? Pourquoi y a-t-il plus de rimes féminines que de masculines?

2

Je devine, à travers un murmure,
Le contour subtil des voix anciennes
Et dans les lueurs musiciennes,
Amour pâle, une aurore future!

⁵ Et mon âme et mon cœur en délires
Ne sont plus qu'une espèce d'œil double
Où tremblote à travers un jour trouble
L'ariette, hélas! de toutes lyres!

O mourir de cette mort seulette
¹⁰ Que s'en vont, cher amour qui t'épeures,
Balançant jeunes et vieilles heures!
O mourir de cette escarpolette!

3

Il pleut doucement sur la ville
ARTHUR RIMBAUD

Il pleure dans mon cœur
Comme il pleut sur la ville.
Quelle est cette langueur
Qui pénètre mon cœur?

⁵ Ô bruit doux de la pluie
Par terre et sur les toits!
Pour un cœur qui s'ennuie,
Ô le chant de la pluie!

Il pleure sans raison
¹⁰ Dans ce cœur qui s'écœure.
Quoi! nulle trahison?
Ce deuil est sans raison.

C'est bien la pire peine
De ne savoir pourquoi,
¹⁵ Sans amour et sans haine,
Mon cœur a tant de peine.

4

Il faut, voyez-vous, nous pardonner les choses.
De cette façon nous serons bien heureuses,
Et si notre vie a des instants moroses,
Du moins nous serons, n'est-ce pas? deux pleureuses.

⁵ Ô que nous mêlions, âmes sœurs que nous sommes,
A nos vœux confus la douceur puérile
De cheminer loin des femmes et des hommes,
Dans le frais oubli de ce qui nous exile.

Soyons deux enfants, soyons deux jeunes filles
¹⁰ Éprises de rien et de tout étonnées,
Qui s'en vont pâlir sous les chastes charmilles
Sans même savoir qu'elles sont pardonnées.

---

3. « Il pleure dans mon cœur... »

Malgré l'épigraphe de Rimbaud, ce poème est un des plus typiques
et des plus célèbres de Verlaine.

① Ne peut-on dire qu'il y a au point de départ un sentiment de
tristesse sincère et poignante, mais que sa violence est comme
estompée? Existe-t-il d'autres « pleurs » et d'autres « peines » dans
l'œuvre de Verlaine?

② Comment, dès le début, s'établit l'interférence entre l'univers
moral et l'univers matériel? En quoi y contribue le parallélisme
des deux premiers vers, tant du point de vue grammatical que
du point de vue musical?

③ Étudier le développement de la mélodie : comment sont
disposées les rimes? Peut-on relever des rimes intérieures? Quel
est leur effet? Sur quels mots tombent les temps forts? Comment
la répétition de certains termes essentiels arrive-t-elle à constituer
une sorte de refrain?

4. « Il faut, voyez-vous... »

① Ce poème a été inspiré à Verlaine par son aventure
avec Rimbaud. Cependant Y.-G. Le Dantec a pu parler de « ces
strophes si pures ». A quoi tient cette impression de pureté?
② Combien de syllabes compte le vers utilisé ici? Quel est l'effet
obtenu?

5

Son joyeux, importun d'un clavecin sonore
PÉTRUS BOREL

Le piano que baise une main frêle
Luit dans le soir rose et gris vaguement,
Tandis qu'avec un très léger bruit d'aile
Un air bien vieux, bien faible et bien charmant,
⁵ Rôde discret, épeuré quasiment,
Par le boudoir longtemps parfumé d'Elle.

Qu'est-ce que c'est que ce berceau soudain
Qui lentement dorlote mon pauvre être?
Que voudrais-tu de moi, doux chant badin?
¹⁰ Qu'as-tu voulu, fin refrain incertain
Qui vas tantôt mourir vers la fenêtre
Ouverte un peu sur le petit jardin?

6

C'est le chien de Jean de Nivelle
Qui mord sous l'œil même du guet
Le chat de la mère Michel;
François-les-bas-bleus s'en égaie.

⁵ La lune à l'écrivain public
Dispense sa lumière obscure
Où Médor avec Angélique
Verdissent sur le pauvre mur.

Et voici venir La Ramée
¹⁰ Sacrant en bon soldat du Roi.
Sous son habit blanc mal famé,
Son cœur ne se tient pas de joie,

Car la boulangère... — Elle? — Oui dam!
Bernant Lustucru, son vieil homme,
¹⁵ A tantôt couronné sa flamme...
Enfants, *Dominus vobis-cum !*

Place! en sa longue robe bleue
Toute en satin qui fait frou-frou,
C'est une impure, palsambleu!
20 Dans sa chaise qu'il faut qu'on loue,

Fût-on philosophe ou grigou [1],
Car tant d'or s'y relève en bosse [2],
Que ce luxe insolent bafoue
Tout le papier de monsieur Loss [3]!

25 Arrière, robin crotté! place,
Petit courtaud, petit abbé,
Petit poète jamais las
De la rime non attrapée!

Voici que la nuit vraie arrive...
30 Cependant, jamais fatigué
D'être inattentif et naïf,
François-les-bas-bleus s'en égaie.

---

6. « C'est le chien de Jean de Nivelle... »

① De Jean de Nivelle (v. 1) à François-les-bas-bleus (v. 32), Verlaine fait défiler un certain nombre de personnages de chansons populaires, qui n'ont aucun rapport les uns avec les autres : quelle impression se trouve ainsi créée?

② Quels sont les sentiments de Verlaine devant son poème? Quel est le sujet de celui-ci? Est-ce un hasard si Verlaine s'inspire ici de chansons populaires ou le fait-il sous l'effet d'une tendance profonde de son tempérament?

③ Quelle est la signification de ce poème? Ne peut-on y voir une illustration du titre du recueil? Quel est l'intérêt d'une romance, si elle est « sans paroles »!

④ Qu'y a-t-il de surprenant dans les rimes?

---

1. Avare. — 2. Rappel humoristique du sonnet de Trissotin dans *les Femmes savantes* : « Et quand tu vois ce beau carrosse | Où tant d'or se relève en bosse... » — 3. Le nom du célèbre financier du XVIIIᵉ siècle Law se prononçait Lass. — 4. Homme de robe.

7

Ô triste, triste était mon âme
A cause, à cause d'une femme.

Je ne me suis pas consolé
Bien que mon cœur s'en soit allé,

⁵ Bien que mon cœur, bien que mon âme
Eussent fui loin de cette femme.

Je ne me suis pas consolé,
Bien que mon cœur s'en soit allé.

Et mon cœur, mon cœur trop sensible
¹⁰ Dit à mon âme : Est-il possible,

Est-il possible, — le fût-il, —
Ce fier exil, ce triste exil ?

Mon âme dit à mon cœur : Sais-je,
Moi-même, que nous veut ce piège

¹⁵ D'être présents bien qu'exilés,
Encore que loin en allés ?

8

Dans l'interminable
Ennui de la plaine,
La neige incertaine
Luit comme du sable.

⁵ Le ciel est de cuivre
Sans lueur aucune.
On croirait voir vivre
Et mourir la lune.

Comme des nuées
10 Flottent gris les chênes
Des forêts prochaines
Parmi les buées.

Le ciel est de cuivre
Sans lueur aucune,
15 On croirait voir vivre
Et mourir la lune.

Corneille poussive
Et vous, les loups maigres,
Par ces bises aigres
20 Quoi donc vous arrive ?

Dans l'interminable
Ennui de la plaine,
La neige incertaine
Luit comme du sable.

---

7. « Ô triste, triste était mon âme... »

① En quoi ce poème est-il une chanson? Quelle en est la tonalité?
Quels sentiments éprouve Verlaine pour sa femme?

② Quelle est l'idée centrale? Comment est-elle développée? Quel
est l'intérêt de la reprise de certains termes? Comment qualifier
ce genre de composition?

③ La tristesse de Verlaine n'a-t-elle pas ici quelque chose de
lancinant? Comment cet effet est-il obtenu?

④ Ces groupes de deux vers conviennent-ils mieux au sujet qu'une
ample strophe?

8. « Dans l'interminable ennui... »

① En quel sens un ennui peut-il être « interminable »? En quel
sens peut-il y avoir un « ennui de la plaine »? Montrer comment
l'ambiguïté de ces termes, repris dans la dernière strophe, donne
toute sa richesse à l'évocation.

② Analyser les divers éléments de ce paysage. Quelle impression
d'ensemble donnent-ils?

③ Peut-on parler de technique impressionniste à propos de
ce poème?

BRUXELLES

CHEVAUX DE BOIS

> *Par Saint-Gille*
> *Viens nous-en,*
> *Mon agile*
> *Alezan.*
>   V. Hugo

Tournez, tournez, bons chevaux de bois,
Tournez cent tours, tournez mille tours,
Tournez souvent et tournez toujours,
Tournez, tournez au son des hautbois.

[5] Le gros soldat, la plus grosse bonne
Sont sur vos dos comme dans leur chambre;
Car, en ce jour, au bois de la Cambre[1],
Les maîtres sont tous deux en personne.

Tournez, tournez, chevaux de leur cœur,
[10] Tandis qu'autour de tous vos tournois
Clignote l'œil du filou sournois,
Tournez au son du piston vainqueur.

C'est ravissant comme ça vous soûle,
D'aller ainsi dans ce cirque bête!
[15] Bien dans le ventre et mal dans la tête,
Du mal en masse et du bien en foule.

Tournez, tournez, sans qu'il soit besoin
D'user jamais de nuls éperons,
Pour commander à vos galops ronds,
[20] Tournez, tournez, sans espoir de foin.

---

1. Promenade habituelle des élégants Bruxellois.

Et dépêchez, chevaux de leur âme :
Déjà, voici que la nuit qui tombe
Va réunir pigeon et colombe,
Loin de la foire et loin de madame.

[25] Tournez, tournez! le ciel en velours
D'astres en or se vêt lentement.
Voici venir l'amante et l'amant.
Tournez au son joyeux des tambours.

Champ de foire de Saint-Gilles, août 1872

BIRDS IN THE NIGHT[1]

Vous n'avez pas eu toute patience,
Cela se comprend par malheur, de reste;
Vous êtes si jeune! et l'insouciance,
C'est le lot amer de l'âge céleste!

[5] Vous n'avez pas eu toute la douceur,
Cela par malheur d'ailleurs se comprend;
Vous êtes si jeune, ô ma froide sœur
Que votre cœur doit être indifférent!

Aussi, me voici plein de pardons chastes,
[10] Non, certes! joyeux, mais très calme, en somme,
Bien que je déplore, en ces mois néfastes,
D'être, grâce à vous, le moins heureux homme.

*

Et vous voyez bien que j'avais raison
Quand je vous disais, dans mes moments noirs,
[15] Que vos yeux, foyers de mes vieux espoirs,
Ne couvraient plus rien que la trahison.

Vous juriez alors que c'était mensonge
Et votre regard qui mentait lui-même
Flambait comme un feu mourant qu'on prolonge,
[20] Et de votre voix vous disiez : « Je t'aime! »

---

1. En anglais « Oiseaux dans la nuit ».

Hélas! on se prend toujours au désir
Qu'on a d'être heureux malgré la saison...
Mais ce fut un jour plein d'amer plaisir,
Quand je m'aperçus que j'avais raison!

*

²⁵ Aussi bièn pourquoi me mettrais-je à geindre?
Vous ne m'aimiez pas, l'affaire est conclue,
Et, ne voulant pas qu'on ose me plaindre,
Je souffrirai d'une âme résolue.

Oui, je souffrirai, car je vous aimais!
³⁰ Mais je souffrirai comme un bon soldat
Blessé, qui s'en va dormir à jamais,
Plein d'amour pour quelque pays ingrat.

Vous qui fûtes ma Belle, ma Chérie,
Encor que de vous vienne ma souffrance,
³⁵ N'êtes-vous donc pas toujours ma Patrie,
Aussi jeune, aussi folle que la France?

*

Or, je ne veux pas, — le puis-je d'abord? —
Plonger dans ceci mes regards mouillés.
Pourtant mon amour que vous croyez mort
⁴⁰ A peut-être enfin les yeux dessillés.

Mon amour qui n'est que ressouvenance,
Quoique sous vos coups il saigne et qu'il pleure
Encore et qu'il doive, à ce que je pense,
Souffrir longtemps jusqu'à ce qu'il en meure,

⁴⁵ Peut-être a raison de croire entrevoir
En vous un remords qui n'est pas banal,
Et d'entendre dire, en son désespoir,
A votre mémoire : ah! fi! que c'est mal! [...]

*

[70] Par instants je suis le pauvre navire
Qui court démâté parmi la tempête,
Et ne voyant pas Notre-Dame luire
Pour l'engouffrement en priant s'apprête.

Par instants je meurs la mort du pécheur
[75] Qui se sait damné s'il n'est confessé,
Et, perdant l'espoir de nul confesseur,
Se tord dans l'Enfer qu'il a devancé.

O mais! par instants, j'ai l'extase rouge
Du premier chrétien, sous la dent rapace,
[80] Qui rit à Jésus témoin, sans que bouge
Un poil de sa chair, un nerf de sa face!

Bruxelles-Londres, septembre-octobre 1872.

Birds in the night

① Ce poème, écrit en pleine aventure avec Rimbaud, évoque la
figure de Mathilde. Avant de lui donner le titre d'une berceuse
anglaise de l'époque, Verlaine avait songé à l'intituler la *Mauvaise
Chanson* : si ses sentiments pour sa femme ne sont plus les mêmes,
l'art de Verlaine ne rappelle-t-il pas ici celui de la *Bonne Chanson*?
Tentez d'en relever les ressemblances.

② « L'intérêt, la très grande beauté de *Birds in the night* sont
dans la musique de ces vers. Verlaine a écrit ce poème en décasyllabes, mais plutôt que les césures 4 : 6 et 6 : 4, il a le plus souvent
employé la césure 5 : 5, tout à fait inhabituelle, et qui fait de
chacun de ces décasyllabes un couple de vers de cinq syllabes.
Rythme impair donc et comme brisé, comme lassé. Reproches sans
éclat, chagrin sans espoir. Poésie dégagée de toute rhétorique,
toute diaphane, pure spiritualité. Pleine de périls à coup sûr, qu'il
n'est pas impossible de discerner déjà. Mais pour le moment la réussite est miraculeuse» (A. Adam). Peut-on souscrire à ce jugement?

AQUARELLES

GREEN

Voici des fruits, des fleurs, des feuilles et des branches,
Et puis voici mon cœur, qui ne bat que pour vous.
Ne le déchirez pas avec vos deux mains blanches
Et qu'à vos yeux si beaux l'humble présent soit doux.

5   J'arrive tout couvert encore de rosée
Que le vent du matin vient glacer à mon front.
Souffrez que ma fatigue, à vos pieds reposée,
Rêve des chers instants qui la délasseront.

Sur votre jeune sein laissez rouler ma tête
10 Toute sonore encor de vos derniers baisers;
Laissez-la s'apaiser de la bonne tempête,
Et que je dorme un peu puisque vous reposez.

SPLEEN

Les roses étaient toutes rouges,
Et les lierres étaient tout noirs.

Chère, pour peu que tu te bouges,
Renaissent tous mes désespoirs.

5   Le ciel était trop bleu, trop tendre,
La mer trop verte et l'air trop doux.

Je crains toujours, — ce qu'est d'attendre! —
Quelque fuite atroce de vous.

Du houx à la feuille vernie
10 Et du luisant buis je suis las,

Et de la campagne infinie
Et de tout, fors de vous, hélas!

STREETS [1]

I

Dansons la gigue!

J'aimais surtout ses jolis yeux,
Plus clairs que l'étoile des cieux,
J'aimais ses yeux malicieux.

5   Dansons la gigue!

Elle avait des façons vraiment
De désoler un pauvre amant,
Que c'en était vraiment charmant!

Dansons la gigue!

10 Mais je trouve encore meilleur
Le baiser de sa bouche en fleur,
Depuis qu'elle est morte à mon cœur.

Dansons la gigue!

Je me souviens, je me souviens
15 Des heures et des entretiens,
Et c'est le meilleur de mes biens.

Dansons la gigue!

SoHO

II

Ô la rivière dans la rue!
Fantastiquement apparue
Derrière un mur haut de cinq pieds,
Elle roule sans un murmure
5 Son onde opaque et pourtant pure,
Par les faubourgs pacifiés.

---

1. Ce poème est fait de souvenirs de quelques flâneries dans les rues — d'où le titre — de quartiers louches de Londres, où Verlaine avait séjourné en compagnie de Rimbaud au cours de l'année 1873.

La chaussée est très large, en sorte
Que l'eau jaune comme une morte
Dévale ample et sans nuls espoirs
¹⁰ De rien refléter que la brume,
Même alors que l'aurore allume
Les cottages jaunes et noirs.

PADDINGTON

CHILD WIFE [1]

Vous n'avez rien compris à ma simplicité,
        Rien, ô ma pauvre enfant!
Et c'est avec un front éventé, dépité,
        Que vous fuyez devant.

⁵ Vos yeux qui ne devaient refléter que douceur,
        Pauvre cher bleu miroir,
Ont pris un ton de fiel, ô lamentable sœur,
        Qui nous fait mal à voir.

Et vous gesticulez avec vos petits bras
¹⁰   Comme un héros méchant,
En poussant d'aigres cris poitrinaires, hélas!
        Vous qui n'étiez que chant!

Car vous avez eu peur de l'orage et du cœur
        Qui grondait et sifflait,
¹⁵ Et vous bêlâtes vers votre mère — ô douleur! —
        Comme un triste agnelet.

Et vous n'avez pas su la lumière et l'honneur
        D'un amour brave et fort,
Joyeux dans le malheur, grave dans le bonheur,
²⁰   Jeune jusqu'à la mort!

---

1. Femme-enfant, expression utilisée par David Copperfield, le célèbre héros de Dickens pour désigner sa première femme.

A POOR YOUNG SHEPERD [1]

       J'ai peur d'un baiser
       Comme d'une abeille.
       Je souffre et je veille
       Sans me reposer.
   5 J'ai peur d'un baiser!

       Pourtant j'aime Kate
       Et ses yeux jolis.
       Elle est délicate
       Aux longs traits pâlis.
  10 Oh! que j'aime Kate!

       C'est Saint-Valentin! [2]
       Je dois et je n'ose
       Lui dire au matin...
       La terrible chose
  15 Que Saint-Valentin!

       Elle m'est promise,
       Fort heureusement!
       Mais quelle entreprise
       Que d'être un amant
  20 Près d'une promise!

       J'ai peur d'un baiser
       Comme d'une abeille.
       Je souffre et je veille
       Sans me reposer.
  25 J'ai peur d'un baiser!

Sur l'ensemble des « Romances sans paroles »

A. Thibaudet, après avoir évoqué les *Fêtes galantes* et *la Bonne Chanson*, poursuit en ces termes : « Mais XVIIIe siècle galant, jeune amour, c'est encore l'appui sur quelque matière, d'où, au cours de l'exode avec Rimbaud, le poète s'évade en 1874 par les *Romances sans paroles*, point le plus haut de la fusée verlainienne. La poésie se dénude et se dissout dans l'éther. »

① Vous associez-vous à ce jugement?

---

1. Un pauvre jeune berger. — 2. Fête des amoureux. Une coutume anglaise veut, si l'on en croit un critique anglais, que les amoureux échangent ce jour-là une carte contenant éventuellement des vers.

SAGESSE (1881)

Pendant sa détention, Verlaine avait composé plusieurs poèmes qu'il a eu d'abord l'intention de publier sous le titre de *Cellulairement*. Mais, à sa sortie de prison, il enrichit encore le recueil et ce fut *Sagesse*, paru en 1881. L'œuvre passa à peu près inaperçue; on avait déjà oublié Verlaine qui, depuis plusieurs années, ne fréquentait plus les milieux littéraires [1]. Pourtant la critique moderne voit dans quelques-uns des poèmes de *Sagesse*, sinon dans tous, le sommet de l'art verlainien. L'histoire de sa conversion constitue le thème central de ces poésies de facture assez diverse. Le titre en donne bien l'accent général : il ne s'agit pas ici de sagesse à la manière du sage antique — ce qui serait, à vrai dire, fort peu chrétien — mais de l'enfant qui promet d'être sage, après une sottise ou une étourderie. Et même si Verlaine peut invoquer la caution plus noble des « livres sapientiaux » de la Bible, il reste que sa religion, telle au moins qu'elle apparaît dans ce recueil, est faite d'effusions, de résolutions ou d'émerveillements naïfs, et que les grâces d'enfance n'y sont pas toujours exemptes de quelque puérilité. Selon L. Morice, on peut distinguer trois parties dans *Sagesse* : la première, « ascétique », évoque « la lutte engagée par le néo-converti contre le vieux moi »; la deuxième comporte essentiellement une sorte de dialogue mystique avec le Christ et la Madone; la troisième enfin, plus « pittoresque », s'ouvre sur le monde et ses spectacles.

---

1. Voir Vie de Verlaine, p. 8 et 9.

PRÉFACE
DE LA PREMIÈRE ÉDITION

L'auteur de ce livre n'a pas toujours pensé comme aujourd'hui. Il a longtemps erré dans la corruption contemporaine, y prenant sa part de faute et d'ignorance. Des chagrins très mérités l'ont depuis averti, et Dieu lui a fait la grâce de comprendre l'avertissement. Il s'est prosterné devant l'autel longtemps méconnu, il adore la Toute-Bonté et invoque la Toute-Puissance, fils soumis de l'Église, le dernier en mérites, mais plein de bonne volonté.

Le sentiment de sa faiblesse et le souvenir de ses chutes l'ont guidé dans l'élaboration de cet ouvrage qui est son premier acte de foi public depuis un long silence littéraire : on n'y trouvera rien, il l'espère, de contraire à cette charité que l'auteur, désormais chrétien, doit aux pécheurs dont il a jadis et presque naguère pratiqué les haïssables mœurs.

Deux ou trois pièces toutefois rompent le silence qu'il s'est en conscience imposé à cet égard, mais on observera qu'elles portent sur des actes publics, sur des événements dès lors trop providentiels pour qu'on ne puisse voir dans leur énergie qu'un témoignage nécessaire, qu'une *confession* sollicitée par l'idée du devoir religieux et d'une espérance française.

L'auteur a publié très jeune, c'est-à-dire il y a une dizaine et une douzaine d'années, des vers sceptiques et tristement légers. Il ose compter qu'en ceux-ci nulle dissonance n'ira choquer la délicatesse d'une oreille catholique : ce serait sa plus chère gloire comme c'est son espoir le plus fier.

Paris, 30 juillet 1880.

Préface

① « *J'aime ça, les préfaces* » s'est écrié Verlaine dans une lettre. Pouvons-nous partager son goût en ce qui concerne celle-ci ?
② Le style et la pensée vous paraissent-ils naturels ou un peu forcés ? Est-on ému par la confession de Verlaine ou pense-t-on que n'est pas publicain qui veut ?

LIVRE I

1

Bon chevalier masqué qui chevauche en silence,
Le Malheur a percé mon vieux cœur de sa lance.

Le sang de mon vieux cœur n'a fait qu'un jet vermeil,
Puis s'est évaporé sur les fleurs, au soleil.

⁵ L'ombre éteignit mes yeux, un cri vint à ma bouche,
Et mon vieux cœur est mort dans un frisson farouche.

Alors le chevalier Malheur s'est rapproché,
Il a mis pied à terre et sa main m'a touché.

Son doigt ganté de fer entra dans ma blessure
¹⁰ Tandis qu'il attestait sa loi d'une voix dure.

Et voici qu'au contact glacé du doigt de fer
Un cœur me renaissait, tout un cœur pur et fier.

Et voici que, fervent d'une candeur divine,
Tout un cœur jeune et bon battit dans ma poitrine.

¹⁵ Or, je restais tremblant, ivre, incrédule un peu,
Comme un homme qui voit des visions de Dieu.

Mais le bon chevalier, remonté sur sa bête,
En s'éloignant, me fit un signe de la tête

Et me cria (j'entends *encore* cette voix) :
²⁰ « Au moins, prudence! Car c'est bon pour une fois[1]. »

---

1. Une critique, V.-P. Underwood, a songé à rapprocher de ce vers le passage de *Mes Prisons* où Verlaine raconte que, le jour de sa libération, il eut ce bref dialogue avec un gendarme : « — Et surtout n'y revenez plus. — Non, mon brigadier. »

3

Qu'en dis-tu, voyageur, des pays et des gares?
Du moins as-tu cueilli l'ennui, puisqu'il est mûr,
Toi que voilà fumant de maussades cigares,
Noir, projetant une ombre absurde sur le mur?

5 Tes yeux sont aussi morts depuis les aventures,
Ta grimace est la même et ton deuil est pareil :
Telle la lune vue à travers des mâtures,
Telle la vieille mer sous le jeune soleil,

Tel l'ancien cimetière aux tombes toujours neuves!
10 Mais voyons, et dis-nous les récits devinés,
Ces désillusions pleurant le long des fleuves,
Ces dégoûts comme autant de fades nouveau-nés,

Ces femmes! Dis les gaz, et l'horreur identique
Du mal toujours, du laid partout sur tes chemins,
15 Et dis l'Amour et dis encor la Politique,
Avec du sang déshonoré d'encre à leurs mains.

Et puis surtout ne va pas t'oublier toi-même,
Traînassant ta faiblesse et ta simplicité,
Partout où l'on bataille et partout où l'on aime,
20 D'une façon si triste et folle, en vérité!

---

1. « Bon chevalier masqué... »

① C'est le poème liminaire de *Sagesse;* par le truchement d'une allégorie, il présente dans sa rapidité concrète le drame de la conversion de Verlaine.

② Quelles sont les différentes phases du drame?

③ A quelle époque peut faire songer ce « bon chevalier»? Ce choix est-il heureux? Pourquoi?

④ Les deux derniers vers couronnent-ils heureusement le poème ou constituent-ils une chute dans le prosaïsme?

A-t-on assez puni cette lourde innocence?
Qu'en dis-tu? L'homme est dur, mais la femme? Et tes
[pleurs,
Qui les a bus? Et quelle âme qui les recense
Console ce qu'on peut appeler tes malheurs?

25 Ah, les autres, ah, toi! Crédule à qui te flatte,
Toi qui rêvais (c'était trop excessif, aussi)
Je ne sais quelle mort légère et délicate!
Ah, toi, l'espèce d'ange avec ce vœu transi!

Mais maintenant les plans, les buts? Es-tu de force,
30 Ou si d'avoir pleuré t'a détrempé le cœur?
L'arbre est tendre s'il faut juger d'après l'écorce,
Et tes aspects ne sont pas ceux d'un grand vainqueur.

Si gauche encore! avec l'aggravation d'être
Une sorte à présent d'idyllique engourdi
35 Qui surveille le ciel bête par la fenêtre
Ouverte aux yeux matois du démon de midi.

Si le même dans cette extrême décadence!
Enfin! — Mais à ta place un être avec du sens,
Payant les violons, voudrait mener la danse,
40 Au risque d'alarmer quelque peu les passants.

N'as-tu pas, en fouillant les recoins de ton âme,
Un beau vice à tirer comme un sabre au soleil,
Quelque vice joyeux, effronté, qui s'enflamme
Et vibre, et darde rouge au front du ciel vermeil?

45 Un ou plusieurs? Si oui, tant mieux! Et pars bien vite
En guerre, et bats d'estoc et de taille, sans choix
Surtout, et mets ce masque indolent où s'abrite
La haine inassouvie et repue à la fois...

Il faut n'être pas dupe en ce farceur de monde
50 Où le bonheur n'a rien d'exquis et d'alléchant
S'il n'y frétille un peu de pervers et d'immonde,
Et pour n'être pas dupe il faut être méchant.

— Sagesse humaine, ah! j'ai les yeux sur d'autres choses,
Et parmi ce passé dont ta voix décrivait
55 L'ennui, pour des conseils encore plus moroses,
Je ne me souviens plus que du mal que j'ai fait.

Dans tous les mouvements bizarres de ma vie,
De mes « malheurs », selon le moment et le dieu,
Des autres et de moi, de la route suivie,
60 Je n'ai rien retenu que la grâce de Dieu.

Si je me sens puni, c'est que je le dois être,
Ni l'homme ni la femme ici ne sont pour rien,
Mais j'ai le ferme espoir d'un jour pouvoir connaître
Le pardon et la paix promis à tout Chrétien.

65 Bien, de n'être pas dupe en ce monde d'une heure.
Mais pour ne l'être pas durant l'éternité,
Ce qu'il faut à tout prix qui règne et qui demeure,
Ce n'est pas la méchanceté, c'est la bonté.

5

Beauté des femmes, leur faiblesse, et ces mains pâles
Qui font souvent le bien et peuvent tout le mal,
Et ces yeux, où plus rien ne reste d'animal
Que juste assez pour dire : « assez » aux fureurs mâles.

5 Et toujours, maternelle endormeuse des râles,
Même quand elle ment, cette voix! Matinal
Appel, ou chant bien doux à vêpre, ou frais signal,
Ou beau sanglot qui va mourir au pli des châles!...

Hommes durs! Vie atroce et laide d'ici-bas!
10 Ah! que du moins, loin des baisers et des combats,
Quelque chose demeure un peu sur la montagne,

Quelque chose du cœur enfantin et subtil,
Bonté, respect! Car qu'est-ce qui nous accompagne,
Et vraiment, quand la mort viendra, que reste-t-il?

6

Ô vous, comme un qui boite au loin, Chagrins et Joies,
Toi, cœur saignant d'hier qui flambes aujourd'hui,
C'est vrai, pourtant, que c'est fini, que tout a fui
De nos sens, aussi bien les ombres que les proies.

5 Vieux bonheurs, vieux malheurs, comme une file d'oies
Sur la route en poussière où tous les pieds ont lui,
Bon voyage! Et le Rire, et, plus vieille que lui,
Toi, Tristesse, noyée au vieux noir que tu broies!

Et le reste! — Un doux vide, un grand renoncement,
10 Quelqu'un en nous qui sent la paix immensément,
Une candeur d'une fraîcheur délicieuse...

Et voyez! notre cœur qui saignait sous l'orgueil,
Il flambe dans l'amour, et s'en va faire accueil
A la vie, en faveur d'une mort précieuse!

7

Les faux beaux jours ont lui tout le jour, ma pauvre âme,
Et les voici vibrer aux cuivres du couchant.
Ferme les yeux, pauvre âme, et rentre sur-le-champ;
Une tentation des pires. Fuis l'Infâme.

5 Ils ont lui tout le jour en longs grêlons de flamme,
Battant toute vendange aux collines, couchant
Toute moisson de la vallée, et ravageant
Le ciel tout bleu, le ciel chanteur qui te réclame.

Ô pâlis, et va-t-en, lente et joignant les mains.
10 Si ces hiers allaient manger nos beaux demains?
Si la vieille folie était encore en route?

Ces souvenirs, va-t-il falloir les retuer?
Un assaut furieux, le suprême sans doute!
Ô, va prier contre l'orage, va prier.

8

La vie humble aux travaux ennuyeux et faciles
Est une œuvre de choix qui veut beaucoup d'amour.
Rester gai quand le jour, triste, succède au jour,
Être fort, et s'user en circonstances viles;

5 N'entendre, n'écouter aux bruits des grandes villes
Que l'appel, ô mon Dieu, des cloches dans la tour,
Et faire un de ces bruits soi-même, cela pour
L'accomplissement vil de tâches puériles;

Dormir chez les pécheurs étant un pénitent;
10 N'aimer que le silence et converser pourtant;
Le temps si long dans la patience si grande,

Le scrupule naïf aux repentirs têtus,
Et tous ces soins autour de ces pauvres vertus!
— Fi, dit l'Ange gardien, de l'orgueil qui marchande!

---

6. « Ô vous, comme un qui boite au loin... »

① Verlaine a précisé qu'il avait écrit ce poème « en revenant
d'avoir communié ». Quels sont les différents sentiments qui
agitent l'âme du poète?
② L'expression de ces sentiments est-elle directe? Quel est l'intérêt
des différentes images? Comment le rythme souligne-t-il l'idée?
③ Il y a dans ce poème plusieurs mots abstraits écrits avec une
majuscule : avons-nous cependant affaire à de froides allégories?
④ Comment se déroule le poème? De quel genre de phrases est-il
composé? Que traduisent les coupes?

7. « Les faux beaux jours ont lui... »

① Après le poème de la communion et — sans doute inten-
tionnellement — juste après lui dans le recueil, voici le poème de
la tentation, écrit de l'aveu même de son auteur « au bord d'une
rechute ». Quels sont les sentiments de Verlaine? Quelle différence
y a-t-il entre le v. 3 et le v. 14?
② Que faut-il entendre au juste par « les faux beaux jours »?
Par quelles images est évoquée la tentation (v. 1 et 2; deuxième
quatrain; v. 10; dernier tercet)?
③ Montrer la richesse et la variété des effets de style : comment
le rythme ample du second quatrain évoquant une sorte de fléau
biblique aboutit-il à un point d'orgue? Ne peut-on pas relever
quelques expressions hardies de style parlé?
④ En quoi peut-on qualifier ce poème de symboliste?

9

Sagesse d'un Louis Racine [1], je t'envie!
Ô n'avoir pas suivi les leçons de Rollin [2],
N'être pas né dans le grand siècle à son déclin,
Quand le soleil couchant, si beau, dorait la vie,

[5] Quand Maintenon [3], jetait sur la France ravie
L'ombre douce et la paix de ses coiffes de lin,
Et, royale, abritait la veuve et l'orphelin,
Quand l'étude de la prière était suivie,

Quand poète et docteur [4], simplement, bonnement,
[10] Communiaient avec des ferveurs de novices,
Humbles servaient la Messe et chantaient aux offices,

Et, le printemps venu, prenaient un soin charmant
D'aller dans les Auteuils [5] cueillir lilas et roses
En louant Dieu, comme Garo [6], de toutes choses!

10

Non. Il fut gallican [7], ce siècle, et janséniste!
C'est vers le Moyen Age, énorme et délicat,
Qu'il faudrait que mon cœur en panne naviguât,
Loin de nos jours d'esprit charnel et de chair triste.

[5] Roi, politicien, moine, artisan, chimiste,
Architecte, soldat, médecin, avocat,
Quel temps! Oui, que mon cœur naufragé rembarquât
Pour toute cette force ardente, souple, artiste!

---

1. Fils du grand Racine. — 2. Recteur de l'Université de Paris en 1694. — 3. Mme de Maintenon, devenue en 1684 femme de Louis XIV, qu'elle poussa vers la dévotion et l'intolérance, portait elle-même des coiffures presque monastiques. — 4. Peut-être Verlaine fait-il allusion aux solitaires de Port-Royal, bien qu'ils ne fussent pas contemporains de Mme de Maintenon. — 5. Maisons de campagne. Auteuil était à cette époque hors de Paris. — 6. Personnage simple et naïf, qu'on trouve notamment chez La Fontaine (*Fables*, IX, 4). — 7. Le Gallicanisme voulait limiter l'autorité du Pape et mettait l'accent sur les libertés et franchises de l'Église de France.

　　Et là que j'eusse part — quelconque, chez les rois
10 　Ou bien ailleurs, n'importe, — à la chose vitale,
　　Et que je fusse un saint, actes bons, pensers droits,

　　Haute théologie et solide morale,
　　Guidé par la folie unique de la Croix,
　　Sur tes ailes de pierre, ô folle Cathédrale!

---

9. « Sagesse d'un Louis Racine... »

① La composition du poème : comment le thème est-il posé? comment ensuite l'esprit vagabonde-t-il?

② La rêverie de Verlaine s'exprime ici en évocations historiques : les éléments cités par Verlaine semblent-ils bien choisis? Louis Racine et Rollin ont-ils la stature de symboles? Mme de Maintenon évoque-t-elle spécialement la paix? Est-il grave ou bénin que Verlaine soit un historien inexact?

③ Préciser l'idéal moral de Verlaine : à quelles qualités aspire-t-il le plus? Pourquoi?

10. « Non. Il fut gallican, ce siècle, et janséniste... »

① Le premier mot répond au sonnet précédent, qui idéalisait la fin du XVIIe siècle. Verlaine préfère décidément le Moyen Age : quelles peuvent être ses raisons? Penser que Verlaine a été fortement influencé par Joseph de Maistre, ainsi que par ses contemporains Barbey d'Aurevilly et Veuillot, théoriciens ultramontains, à une époque où ces questions étaient d'actualité, après les débats du Concile du Vatican (1870-1871) qui avait proclamé l'infaillibilité pontificale. Le Moyen Age tel que nous le connaissons est-il bien accordé à Verlaine?

② A propos du v. 1, rapprochons ce texte de Verlaine dans son *Voyage en France par un Français*, écrit en 1880 : « Il est évident que le jansénisme triomphant de fait en 1764[1] après avoir un siècle durant troublé l'Église de France de ses querelles subtiles et grossières et dicté de façon indirecte les tristes propositions[2] de 1682, sévit, dès l'expulsion des jésuites, à la fois dans l'éducation, dans la chaire et dans le ministère ecclésiastique, à couvert sous le nom de gallicanisme, par une hypocrisie et une effronterie de plus... et ce de telle sorte que... dans les villes, bourgeois et artisans, las de ternes et froids sermons où ne brûlait plus la flamme évangélique, indécis entre le roi qui disait non et le parlement qui disait oui, s'en allaient des églises et couraient aux journaux naissants, aux éditions hollandaises et à l'Encyclopédie. »

---

1. Date approximative de l'expulsion des jésuites hors de France. — 2. Plus connues sous le nom de Déclaration des quatre articles, rédigée par Bossuet, et qui constitue la charte du gallicanisme.

16

Écoutez la chanson bien douce
Qui ne pleure que pour vous plaire.
Elle est discrète, elle est légère :
Un frisson d'eau sur de la mousse!

5 La voix vous fut connue (et chère?)
Mais à présent elle est voilée
Comme une veuve désolée,
Pourtant comme elle encore fière,

Et dans les longs plis de son voile
10 Qui palpite aux brises d'automne,
Cache et montre au cœur qui s'étonne
La vérité comme une étoile.

Elle dit, la voix reconnue,
Que la bonté c'est notre vie,
15 Que de la haine et de l'envie
Rien ne reste, la mort venue.

Elle parle aussi de la gloire
D'être simple sans plus attendre,
Et de noces d'or et du tendre
20 Bonheur d'une paix sans victoire.

Accueillez la voix qui persiste
Dans son naïf épithalame[1].
Allez, rien n'est meilleur à l'âme
Que de faire une âme moins triste!

25 Elle est *en peine* et *de passage*
L'âme qui souffre sans colère.
Et comme sa morale est claire!...
Écoutez la chanson bien sage.

---

1. Chant nuptial.

PH. JEANBOR COLL. DOUCET

Mathilde Mauté, femme de Verlaine

16. « Écoutez la chanson bien douce... »

① Poème destiné à Mathilde et adressé, pour qu'il le lui transmette, à son demi-frère Charles de Sivry. Apprécier le mélange de plaidoirie et de prière. Comment est articulée la progression dans les termes mêmes (d'*Écoutez* à *Accueillez*; de *la chanson bien douce* à *la chanson bien sage;* de *la chanson* à *la voix*, puis à *l'âme*)?

② Ne peut-on dire que Verlaine cherche tour à tour à séduire, à émouvoir et à persuader?

③ Il y a dans ce poème expression directe et expression symbolique des sentiments : laquelle vous semble la plus réussie?

④ Tentez d'analyser le charme de cette chanson : simplicité du vocabulaire, du style, parfois même familiarité; sonorités, mélodie. Quel est l'effet de ces rimes, toutes féminines (*cf.* poème suivant)?

17

Les chères mains qui furent miennes,
Toutes petites, toutes belles,
Après ces méprises mortelles
Et toutes ces choses païennes,

5 Après les rades et les grèves,
Et les pays et les provinces,
Royales mieux qu'au temps des princes,
Les chères mains m'ouvrent les rêves.

Mains en songe, mains sur mon âme,
10 Sais-je, moi, ce que vous daignâtes,
Parmi ces rumeurs scélérates,
Dire à cette âme qui se pâme?

Ment-elle, ma vision chaste
D'affinité spirituelle,
15 De complicité maternelle,
D'affection étroite et vaste?

Remords si cher, peine très bonne,
Rêves bénis, mains consacrées,
O ces mains, ses mains vénérées,
10 Faites le geste qui pardonne!

18

Et j'ai revu l'enfant unique : il m'a semblé
Que s'ouvrait dans mon cœur la dernière blessure,
Celle dont la douleur plus exquise m'assure
D'une mort désirable en un jour consolé.

La bonne flèche aiguë et sa fraîcheur qui dure!
5 En ces instants choisis elles ont éveillé
Les rêves un peu lourds du scrupule ennuyé,
Et tout mon sang chrétien chanta la Chanson pure.

J'entends encor, je vois encor! Loi du devoir
10 Si douce! Enfin je sais ce qu'est entendre et voir,
J'entends, je vois toujours! Voix des bonnes pensées!

Innocence, avenir! Sage et silencieux,
Que je vais vous aimer, vous un instant pressées,
Belles petites mains qui fermerez nos yeux!

19

Voix de l'Orgueil : un cri puissant comme d'un cor,
Des étoiles de sang sur des cuirasses d'or;
On trébuche à travers des chaleurs d'incendie...
Mais en somme la voix s'en va comme d'un cor.

5 Voix de la Haine : cloche en mer, fausse, assourdie
De neige lente. Il fait si froid! Lourde, affadie,
La vie a peur et court follement sur le quai
Loin de la cloche qui devient plus assourdie.

---

17. « Les chères mains... »

① Ce poème se rattache à la même inspiration que le précédent, en ce sens qu'il est destiné lui aussi à attendrir et à fléchir Mathilde. Mais le poète s'y prend-il exactement de la même manière?
② « Glissant sur ce leitmotiv des *mains*, il est particulièrement souple et enveloppant — comme une caresse. Rien n'est plus verlainien. Et non seulement par la musique, mais par ce motif des *mains* » (L. Morice). Développer ce jugement.

18. « Et j'ai revu l'enfant unique... »

Verlaine avait accueilli sans tendresse la naissance de son fils Georges (30 oct. 1871). Il est vrai qu'à cette époque la présence de Rimbaud et l'abus de la boisson conjuguaient leurs effets pour le mettre hors de lui-même. Mais il devait par la suite penser souvent à son fils, et l'on peut même dire qu'il y a chez Verlaine un sentiment paternel insatisfait qui peut expliquer, par exemple, l'adoption de Lucien Létinois.

① Dans ce poème, sentiment paternel et sentiment religieux sont intimement mêlés : cette union vous paraît-elle artificielle ou donne-t-elle à ces vers un pathétique original?

Voix de la Chair : un gros tapage fatigué ;
10 Des gens ont bu ; l'endroit fait semblant d'être gai ;
Des yeux, des noms, et l'air plein de parfums atroces
Où vient mourir le gros tapage fatigué.

Voix d'Autrui : des lointains dans les brouillards ; des noces
Vont et viennent ; des tas d'embarras ; des négoces,
15 Et tout le cirque des civilisations
Au son trotte-menu du violon des noces.

Colères, soupirs noirs, regrets, tentations,
Qu'il a fallu pourtant que nous entendissions
Pour l'assourdissement des silences honnêtes,
20 Colères, soupirs noirs, regrets, tentations,

Ah ! les Voix, mourez donc, mourantes que vous êtes !
Sentences, mots en vain, métaphores mal faites,
Toute la rhétorique en fuite des péchés,
Ah ! les Voix, mourez donc, mourantes que vous êtes !

25 Nous ne sommes plus ceux que vous auriez cherchés.
Mourez à nous, mourez aux humbles vœux cachés
Que nourrit la douceur de la Parole forte,
Car notre cœur n'est plus de ceux que vous cherchez !

Mourez parmi la voix que la Prière emporte
30 Au ciel, dont elle seule ouvre et ferme la porte
Et dont elle tiendra les sceaux au dernier jour,
Mourez parmi la voix que la Prière apporte,

Mourez parmi la voix terrible de l'Amour !

---

19. « Voix de l'Orgueil... »

① Quel est le sujet de ce poème ? Par rapport au poème 7 de
Sagesse, l'accent est-il le même ?
② A quel poème de Baudelaire les quatre premières strophes
peuvent-elles faire songer en ce qui concerne la technique de la
transposition ?
③ La « rhétorique des péchés » est « en fuite » (v. 23). Peut-on
en dire autant, d'un bout à l'autre du poème, de la rhétorique
tout court ?

LIVRE II

1

Ô mon Dieu, vous m'avez blessé d'amour,
Et la blessure est encore vibrante,
Ô mon Dieu, vous m'avez blessé d'amour.

Ô mon Dieu, votre crainte m'a frappé
5 Et la brûlure est encor là qui tonne,
Ô mon Dieu, votre crainte m'a frappé.

Ô mon Dieu, j'ai connu que tout est vil
Et votre gloire en moi s'est installée,
Ô mon Dieu, j'ai connu que tout est vil.

10 Noyez mon âme aux flots de votre Vin,
Fondez ma vie au Pain de votre table,
Noyez mon âme aux flots de votre Vin.

Voici mon sang que je n'ai pas versé,
Voici ma chair indigne de souffrance,
15 Voici mon sang que je n'ai pas versé.

Voici mon front qui n'a pu que rougir,
Pour l'escabeau de vos pieds adorables,
Voici mon front qui n'a pu que rougir.

Voici mes mains qui n'ont pas travaillé,
20 Pour les charbons ardents et l'encens rare,
Voici mes mains qui n'ont pas travaillé.

Voici mon cœur qui n'a battu qu'en vain,
Pour palpiter aux ronces du Calvaire,
Voici mon cœur qui n'a battu qu'en vain.

25 Voici mes pieds, frivoles voyageurs,
Pour accourir au cri de votre grâce,
Voici mes pieds, frivoles voyageurs.

Voici ma voix, bruit maussade et menteur,
Pour les reproches de la Pénitence,
30 Voici ma voix, bruit maussade et menteur.

Voici mes yeux, luminaires d'erreur,
Pour être éteints aux pleurs de la prière,
Voici mes yeux, luminaires d'erreur.

Hélas! Vous, Dieu d'offrande et de pardon,
35 Quel est le puits de mon ingratitude,
Hélas! Vous, Dieu d'offrande et de pardon,

Dieu de terreur et Dieu de sainteté,
Hélas! ce noir abîme de mon crime,
Dieu de terreur et Dieu de sainteté,

40 Vous, Dieu de paix, de joie et de bonheur,
Toutes mes peurs, toutes mes ignorances,
Vous, Dieu de paix, de joie et de bonheur,

Vous connaissez tout cela, tout cela,
Et que je suis plus pauvre que personne,
45 Vous connaissez tout cela, tout cela,

Mais ce que j'ai, mon Dieu, je vous le donne.

---

1. « Ô mon Dieu, vous m'avez blessé d'amour... »

① Dans ce poème Verlaine développe l'offrande qu'il fait à Dieu : sur quel ton le *tout cela* répété du v. 45 la résume-t-il? Quels sont les sentiments de Verlaine? N'y a-t-il pas, en même temps qu'une offrande, une sorte de confession?

② A quel type de prière liturgique ces vers ressemblent-ils? Les répétitions symétriques, à l'intérieur de chaque strophe, alourdissent-elles le poème ou lui donnent-elles une sorte de force lancinante? Relever quelques expressions de style biblique : sont-elles bien fondues dans l'ensemble? Quel est leur intérêt?

③ Pourquoi le dernier vers est-il mis à part? Comment résume-t-il l'intention de la prière? De quel mot de Pascal peut-on le rapprocher (voir p. 88)?

2

Je ne veux plus aimer que ma mère Marie.
Tous les autres amours sont de commandement,
Nécessaires qu'ils sont, ma mère seulement
Pourra les allumer aux cœurs qui l'ont chérie.

5 C'est pour Elle qu'il faut chérir mes ennemis,
C'est par Elle que j'ai voué ce sacrifice,
Et la douceur de cœur et le zèle au service,
Comme je la priais, Elle les a permis.

Et comme j'étais faible et bien méchant encore,
10 Aux mains lâches, les yeux éblouis des chemins,
Elle baissa mes yeux et me joignit les mains,
Et m'enseigna les mots par lesquels on adore.

C'est par Elle que j'ai voulu de ces chagrins,
C'est pour Elle que j'ai mon cœur dans les Cinq Plaies,
15 Et tous ces bons efforts vers les croix et les claies,
Comme je l'invoquais, Elle en ceignit mes reins.

Je ne veux plus penser qu'à ma mère Marie,
Siège de la Sagesse et source des pardons,
Mère de France aussi, de qui nous attendons
20 Inébranlablement l'honneur de la patrie.

Marie Immaculée,[1] amour essentiel,
Logique de la foi cordiale et vivace,
En vous aimant qu'est-il de bon que je ne fasse,
En vous aimant du seul amour, Porte du ciel?

---

2. « Je ne veux plus aimer... »

Verlaine avait rêvé d'un « poème sacré qui serait immense [et]
roulerait sur la Vierge ». S'il n'a pas réalisé son dessein, du moins
a-t-il consacré à Marie des vers qui sont parmi les plus connus
de toute son œuvre, comme ceux-ci. « Dans ce cœur affamé de
tendresse, écrit L. Morice, et qui était d'un enfant, la dévotion
à la Vierge n'allait pas tarder à se préciser et à grandir.» Comment
nous apparaît ici la religion de Verlaine? Tenter d'apprécier la réussite d'un tel poème en faisant la part de la prédication et de la poésie
proprement dite.

---

1. Le dogme de l'Immaculée Conception avait été proclamé en 1851.

4

I

Mon Dieu m'a dit : « Mon fils il faut m'aimer. Tu vois
Mon flanc percé, mon cœur qui rayonne et qui saigne,
Et mes pieds offensés que Madeleine baigne
De larmes, et mes bras douloureux sous le poids

5 De tes péchés, et mes mains! Et tu vois la croix,
Tu vois les clous, le fiel, l'éponge, et tout t'enseigne
A n'aimer, en ce monde amer où la chair règne,
Que ma Chair et mon Sang, ma parole et ma voix.

Ne t'ai-je pas aimé jusqu'à la mort moi-même,
10 Ô mon frère en mon Père, ô mon fils en l'Esprit,
Et n'ai-je pas souffert, comme c'était écrit?

N'ai-je pas sangloté ton angoisse suprême
Et n'ai-je pas sué la sueur de tes nuits,
Lamentable ami qui me cherches où je suis? »

---

4. I. Mon Dieu m'a dit : Mon fils, il faut m'aimer... »

① C'est Dieu, tout naturellement, qui ouvre cette série de sonnets
« mystiques ». Quel est le sens de son appel? Quel mot essentiel
l'exprime? Analyser les divers procédés qui le soulignent.

② La souffrance du Christ en croix et son amour pour chaque
âme en particulier contribuent à rendre l'appel de Dieu éminem-
ment pathétique : étudier la mise en œuvre poétique de chacun de
ces deux éléments.

③ Comment le rythme suggère-t-il la chaleur passionnée de
l'appel? Etudier notamment les rejets, le déplacement de la
césure et des accents habituels de l'alexandrin.

II

¹⁵ J'ai répondu : « Seigneur, vous avez dit mon âme.
   C'est vrai que je vous cherche et ne vous trouve pas.
   Mais vous aimer! Voyez comme je suis en bas,
   Vous dont l'amour toujours monte comme la flamme.

   Vous la source de paix que toute soif réclame,
²⁰ Hélas! voyez un peu tous mes tristes combats!
   Oserai-je adorer la trace de vos pas,
   Sur ces genoux saignants d'un rampement infâme?

   Et pourtant je vous cherche en longs tâtonnements,
   Je voudrais que votre ombre au moins vêtit ma honte,
²⁵ Mais vous n'avez pas d'ombre, ô vous dont l'amour monte,

   Ô vous, fontaine calme, amère aux seuls amants
   De leur damnation, ô vous toute lumière
   Sauf aux yeux dont un lourd baiser tient la paupière! »

---

4. II. « J'ai répondu : — Seigneur, vous avez dit mon âme... »

① Qu'est-ce qui rend dramatique la réponse du pécheur? Son
état d'âme est-il simple? Analyser les deux sentiments essentiels
et montrer comment ils entrent en conflit.

② Par quelles images sont évoquées respectivement la pureté
de l'amour de Dieu et les souillures du péché?

● La suite de ces sonnets (nous omettons les quatre derniers)
continue le dialogue entre Dieu et sa créature, amorcé dans les
deux premiers. Il y a des inégalités dans la qualité poétique :
comparer par exemple, dans le sonnet 3, le second quatrain et
le premier tercet d'une part et le second tercet de l'autre. Il y
a aussi des longueurs, quelque rhétorique, mais aussi de nombreuses beautés de détail.

III

— Il faut m'aimer! Je suis l'universel Baiser,
30 Je suis cette paupière et je suis cette lèvre
Dont tu parles, ô cher malade, et cette fièvre
Qui t'agite, c'est moi toujours! Il faut oser

M'aimer! Oui, mon amour monte sans biaiser
Jusqu'où ne grimpe pas ton pauvre amour de chèvre,
35 Et t'emportera, comme un aigle vole un lièvre,
Vers des serpolets qu'un ciel cher vient arroser.

Ô ma nuit claire! ô tes yeux dans mon clair de lune!
Ô ce lit de lumière et d'eau parmi la brune!
Toute cette innocence et tout ce reposoir!

40 Aime-moi! Ces deux mots sont mes verbes suprêmes,
Car étant ton Dieu tout-puissant, je peux *vouloir*,
Mais je ne veux d'abord que *pouvoir* que tu m'aimes.

---

4. III. « Il faut m'aimer! je suis l'universel Baiser »

Le dialogue se poursuit entre le Christ et le pécheur. Ce n'est pas
uniquement un artifice de présentation destiné à varier le ton et les
effets et à empêcher que cette longue suite poétique tombe dans la
monotonie. Mais Verlaine évoque ici l'histoire d'une ascension
spirituelle : aux tentations successives du désespoir, de l'humilité
excessive, du renoncement, le Christ répond chaque fois et répri-
mande affectueusement pour encourager.

① Quelle est l'idée centrale développée par le Christ? Quel verbe
l'exprime? Comment est-elle mise en valeur (répétition, place
privilégiée)? S'agit-il d'un argument de circonstance ou bien l'idée
en question se situe-t-elle au cœur même du christianisme?

② A. Adam insiste sur le fait qu' « il faut bien voir aussi, au point
de vue purement poétique, l'audace du métaphorisme qui transpose
en termes de beauté des vérités spirituelles » : quelles sont, à ce
sujet, les transpositions les plus heureuses?

③ Que pensez-vous de l'opposition, soulignée par la typographie,
entre *vouloir* et *pouvoir* (v. 41 et 42)? A-t-elle un intérêt théologique?
A-t-elle une valeur poétique?

IV

— Seigneur, c'est trop! Vraiment je n'ose. Aimer qui? Vous?
Oh non! Je tremble et n'ose. Oh! vous aimer! je n'ose,
45 Je ne veux pas! Je suis indigne. Vous, la Rose
Immense des purs vents de l'Amour, ô Vous, tous

Les cœurs des Saints, ô Vous qui fûtes le Jaloux
D'Israël [1], Vous, la chaste abeille qui se pose
Sur la seule fleur d'une innocence mi-close,
50 Quoi, *moi, moi*, pouvoir *Vous* aimer! Êtes-vous fous *,

Père, Fils, Esprit? Moi, ce pécheur-ci, ce lâche,
Ce superbe, qui fait le mal comme sa tâche
Et n'a dans tous ses sens, odorat, toucher, goût,

Vue, ouïe, et dans tout son être — hélas! dans tout
55 Son espoir et dans tout son remords, que l'extase
D'une caresse où le seul vieil [2] Adam s'embrase?

---

4. IV. « Seigneur, c'est trop! Vraiment je n'ose... »

① La chaleureuse exhortation du Christ (sonnet 3) n'a pas laissé
le pécheur indifférent. Mais plus il est attiré et fasciné par la
lumière, plus il prend une conscience douloureuse de ce qu'il y a en
lui d'ombre et de nuit. C'est ce qui explique son désarroi. Comment
Verlaine l'a-t-il exprimé? Quel est, à ce point de vue, l'effet des
coupes, notamment dans les premiers vers? Comment qualifier
le rythme du premier quatrain?

② Pourquoi le pécheur ne se précipite-t-il pas dans les bras du
Christ? Quel sentiment l'arrête? Quel verbe (répété trois fois)
exprime ce sentiment?

③ Le rythme habituel de l'alexandrin n'est-il pas souvent brisé
dans ce poème, notamment par des rejets? La qualité poétique en
est-elle diminuée? La vigueur dramatique n'en est-elle pas
soulignée?

---

* Saint Augustin (note de Verlaine, qui cite ailleurs cette phrase de Saint Augustin;
« Dieu nous a aimés jusqu'à la folie »).
1. Le peuple élu était une sorte d'épouse mystique de Dieu, comme devait l'être plus
tard l'Église. — 2. Saint Paul parlait du *vieil homme* pour désigner le pécheur.

V

— Il faut m'aimer. Je suis Ces Fous que tu nommais,
Je suis l'Adam nouveau qui mange le vieil homme,
Ta Rome, ton Paris, ta Sparte et ta Sodome,[1]
60 Comme un pauvre rué parmi d'horribles mets.

Mon amour est le feu qui dévore à jamais
Toute chair insensée, et l'évapore comme
Un parfum, — et c'est le déluge qui consomme
En son flot tout mauvais germe que je semais,

65 Afin qu'un jour la Croix où je meurs fût dressée
Et que par un miracle effrayant de bonté
Je t'eusse un jour à moi, frémissant et dompté.

Aime. Sors de ta nuit. Aime. C'est ma pensée
De toute éternité, pauvre âme délaissée,
70 Que tu dusses m'aimer, moi seul qui suis resté!

VI

— Seigneur, j'ai peur. Mon âme en moi tressaille toute.
Je vois, je sens qu'il faut vous aimer : mais comment
Moi, *ceci*, me ferai-je, ô Vous, Dieu, votre amant,
Ô Justice que la vertu des bons redoute?

75 Oui, comment? car voici que s'ébranle la voûte
Où mon cœur creusait son ensevelissement
Et que je sens fluer à moi le firmament,
Et je vous dis : de vous à moi quelle est la route?

Tendez-moi votre main, que je puisse lever
80 Cette chair accroupie et cet esprit malade!
Mais recevoir jamais la céleste accolade,

Est-ce possible? Un jour, pouvoir la retrouver
Dans votre sein, sur votre cœur qui fut le nôtre,
La place où reposa la tête de l'Apôtre[2]?

1. Dieu n'avait pu trouver un seul juste à Sodome. D'une façon plus générale, la grande ville est pour Verlaine un symbole de corruption. — 2. Le jour de la Cène, Jean, apôtre préféré du Christ, reposait sa tête sur la poitrine du Maître.

Verlaine et Pascal.

Le *Mystère de Jésus*, où Pascal revit intensément la Passion du Christ, s'achève sur un dialogue mystique entre le Christ et le pécheur, qui n'est pas sans analogie avec celui qui se déroule dans les sonnets de Verlaine. C'est le Christ qui parle :

« — Console-toi, tu ne me chercherais pas, si tu ne m'avais trouvé.

Je pensais à toi dans mon agonie, j'ai versé telles gouttes de sang pour toi.

C'est me tenter plus que t'éprouver, que de penser si tu ferais bien telle et telle chose absente : je la ferai en toi si elle arrive.

Laisse-toi conduire à mes règles; vois comme j'ai bien conduit la Vierge et les Saints qui m'ont laissé agir en eux.

Le Père aime tout ce que JE fais.

Veux-tu qu'il me coûte toujours du sang de mon humanité, sans que tu donnes des larmes?

C'est mon affaire que ta conversion; ne crains point, et prie avec confiance comme pour moi.

Je te suis présent par ma parole dans l'Écriture, par mon esprit dans l'Église et par les inspirations, par ma puissance dans les prêtres, par ma prière dans les fidèles.

Les médecins ne te guériront pas, car tu mourras à la fin. Mais c'est moi qui guéris et rends le corps immortel.

Souffre les chaînes et la servitude corporelles; je ne te délivre que de la spirituelle à présent.

Je te suis plus un ami que tel ou tel; car j'ai fait pour toi plus qu'eux, et ils ne souffriraient pas ce que j'ai souffert de toi et ne mourraient pas pour toi dans le temps de tes infidélités et cruautés, comme j'ai fait, et comme je suis prêt à faire et fais, dans mes élus et au Saint-Sacrement.

Si tu connaissais tes péchés, tu perdrais cœur.

— Je le perdrai donc, Seigneur, car je crois leur malice, sur votre assurance.

— Non, car moi, par qui tu l'apprends, t'en peux guérir, et ce que je te le dis est un signe que je te veux guérir. A mesure que tu les expieras, tu les connaîtras, et il te sera dit : Vois les péchés qui te sont remis. Fais donc pénitence pour tes péchés cachés et pour la malice occulte de ceux que tu connais.

— Seigneur, je vous donne tout. »

① Lequel de ces deux dialogues (celui de Verlaine ou celui de Pascal) vous semble le plus émouvant?

② Le Christ de Pascal mérite-t-il d'être taxé de janséniste, comme Verlaine le faisait globalement pour tout le XVIIe siècle (voir *Sagesse* I, 10, p. 73)?

③ Comparer le verset de Pascal et le vers de Verlaine.

LIVRE III

3

L'espoir luit comme un brin de paille dans l'étable.
Que crains-tu de la guêpe ivre de son vol fou?
Vois, le soleil toujours poudroie à quelque trou.
Que ne t'endormais-tu, le coude sur la table?

⁵ Pauvre âme pâle, au moins cette eau du puits glacé,
Bois-la. Puis dors après. Allons, tu vois, je reste,
Et je dorloterai les rêves de ta sieste,
Et tu chantonneras comme un enfant bercé.

Midi sonne. De grâce éloignez-vous, madame.
¹⁰ Il dort. C'est étonnant comme les pas de femme
Résonnent au cerveau des pauvres malheureux.

Midi sonne. J'ai fait arroser dans la chambre.
Va, dors! L'espoir luit comme un caillou dans un creux.
Ah! quand refleuriront les roses de septembre!

---

3. « L'espoir luit comme un brin de paille... »

① Ce poème, probablement écrit en prison avant la conversion, est un des rares poèmes de Verlaine qui soient obscurs. La plupart des commentateurs y ont vu un rêve de bonheur conjugal : le poète sait combien il est fragile et menacé mais l'espérance, discrètement personnifiée sous une silhouette bienveillante, n'a pas quitté son cœur. Selon d'autres critiques, c'est le prisonnier qui rêve ici de liberté. Ces interprétations d'ensemble résolvent-elles toutes les difficultés de compréhension littérale? L'œuvre y perd-elle ou bien y gagne-t-elle en force poétique?

② On attribue en général l'hermétisme relatif de ce poème à une influence de la poétique de Rimbaud. Montrer cependant que la technique du vers (rythme, musique), la diversité des impressions sensorielles, les thèmes (nostalgie de l'enfance, de la pureté) font aussi de ce sonnet une œuvre typiquement verlainienne.

6

Le ciel est, par-dessus le toit,
        Si bleu, si calme!
Un arbre, par-dessus le toit,
        Berce sa palme.

5 La cloche, dans le ciel qu'on voit,
        Doucement tinte.
Un oiseau sur l'arbre qu'on voit
        Chante sa plainte.

Mon Dieu, mon Dieu, la vie est là,
10   Simple et tranquille.
Cette paisible rumeur-là
        Vient de la ville.

— Qu'as-tu fait, ô toi que voilà
        Pleurant sans cesse,
15 Dis, qu'as-tu fait, toi que voilà,
        De ta jeunesse?

---

6. « Le ciel est par-dessus le toit... »

Poème écrit dans la prison des Petits-Carmes de Bruxelles en septembre 1873. Verlaine a indiqué dans *Mes Prisons* les circonstances
de sa composition :

Par-dessus le mur de devant ma fenêtre (j'avais une fenêtre,
une vraie! munie, par exemple, de longs et rapprochés barreaux),
au fond de la si triste cour où s'ébattait, si j'ose ainsi parler,
mon mortel ennui, je voyais, c'était en août, se balancer la cime,
aux feuilles voluptueusement frémissantes, de quelque haut
peuplier d'un square ou d'un boulevard voisin. En même temps
m'arrivaient des rumeurs lointaines, adoucies, de fête (Bruxelles est la ville la plus bonhommement rigoleuse que je sache).
Et je fis, à ce propos, ces vers qui se trouvent dans *Sagesse*...

① Étudier la transposition poétique jusque dans le détail de
l'expression. En quoi le récit se distingue-t-il de l'évocation?
Comment passe-t-on de l'évocation à la réflexion?

② On a souvent dit qu'il y avait du Villon en Verlaine. Ce poème
permet-il de le confirmer?

7

Je ne sais pourquoi
Mon esprit amer
D'une aile inquiète et folle vole sur la mer.
Tout ce qui m'est cher,
5   D'une aile d'effroi
Mon amour le couve au ras des flots. Pourquoi, pourquoi?

Mouette à l'essor mélancolique,
Elle suit la vague, ma pensée,
A tous les vents du ciel balancée,
10   Et biaisant quand la marée oblique,
Mouette à l'essor mélancolique.

Ivre de soleil
Et de liberté,
Un instinct la guide à travers cette immensité.
15   La brise d'été
Sur le flot vermeil
Doucement la porte en un tiède demi-sommeil.

Parfois si tristement elle crie
Qu'elle alarme au lointain le pilote,
20   Puis au gré du vent se livre et flotte
Et plonge, et l'aile toute meurtrie
Revole, et puis si tristement crie!

Je ne sais pourquoi
Mon esprit amer
25 D'une aile inquiète et folle vole sur la mer.
Tout ce qui m'est cher,
D'une aile d'effroi
Mon amour le couve au ras des flots. Pourquoi, pourquoi?

9

Le son du cor s'afflige vers les bois
D'une douleur on veut croire orpheline
Qui vient mourir au bas de la colline
Parmi la brise errant en courts abois.

⁵ L'âme du loup pleure dans cette voix
Qui monte avec le soleil qui décline
D'une agonie on veut croire câline
Et qui ravit et qui navre à la fois.

Pour faire mieux cette plainte assoupie,
¹⁰ La neige tombe à longs traits de charpie
A travers le couchant sanguinolent,

Et l'air a l'air d'être un soupir d'automne,
Tant il fait doux par ce soir monotone
Où se dorlote un paysage lent.

---

7. « Je ne sais pourquoi... »

Poème composé en prison : Verlaine songe aux mouettes de ses traversées de Belgique en Angleterre et voit, dans *l'essor mélancolique* de leur vol, une image de sa propre destinée.

① Tenter de préciser cette assimilation : comment est-elle amenée, puis développée? Le mouvement du poème est-il forcé ou naturel?

② Comment sont composées les strophes, et agencées les rimes? Le vers impair convient-il à l'évocation du vol de la mouette? Quel est l'intérêt de la reprise de la première strophe à la fin du poème?

10

La tristesse, la langueur du corps humain
M'attendrissent, me fléchissent, m'apitoient.
Ah! surtout quand des sommeils noirs le foudroient,
Quand les draps zèbrent la peau, foulent la main!

⁵ Et que mièvre dans la fièvre du demain,
Tiède encor du bain de sueur qui décroît,
Comme un oiseau qui grelotte sur un toit!
Et les pieds, toujours douloureux du chemin!

Et le sein, marqué d'un double coup de poing!
¹⁰ Et la bouche, une blessure rouge encor
Et la chair frémissante, frêle décor!

Et les yeux, les pauvres yeux si beaux où point
La douleur de voir encore du fini!...
Triste corps! Combien faible et combien puni!

11

La bise se rue à travers
Les buissons tout noirs et tout verts,
Glaçant la neige éparpillée
Dans la campagne ensoleillée.
⁵ L'odeur est aigre près des bois,
L'horizon chante avec des voix,
Les coqs des clochers des villages
Luisent crûment sur les nuages.
C'est délicieux de marcher
¹⁰ A travers ce brouillard léger
Qu'un vent taquin parfois retrousse.
Ah! fi de mon vieux feu qui tousse
J'ai des fourmis plein les talons.
Debout, mon âme, vite, allons!
¹⁵ C'est le printemps sévère encore,
Mais qui par instant s'édulcore
D'un souffle tiède juste assez
Pour mieux sentir les froids passés
Et penser au Dieu de clémence...
²⁰ Va, mon âme, à l'espoir immense!

12

Vous voilà, vous voilà, pauvres bonnes pensées!
L'espoir qu'il faut, regret des grâces dépensées,
Douceur de cœur avec sévérité d'esprit,
Et cette vigilance, et le calme prescrit,
⁵ Et toutes! Mais encor lentes, bien éveillées,
Bien d'aplomb, mais encor timides, débrouillées
A peine du lourd rêve et de la tiède nuit.
C'est à qui de vous va plus gauche; l'une suit
L'autre, et toutes ont peur du vaste clair de lune.
¹⁰ « Telles, quand les brebis sortent d'un clos. C'est une,
Puis deux, puis trois. Le reste est là, les yeux baissés,
La tête à terre, et l'air des plus embarrassés,
Faisant ce que fait leur chef de file : il s'arrête,
Elles s'arrêtent tour à tour, posant leur tête
¹⁵ Sur son dos, simplement et sans savoir pourquoi. » [1]
Votre pasteur, ô mes brebis, ce n'est pas moi,
C'est un meilleur, un bien meilleur, qui sait les causes,
Lui qui vous tint longtemps et si longtemps là closes,
Mais qui vous délivra de sa main au temps vrai.
²⁰ Suivez-le. Sa houlette est bonne.
                              Et je serai,
Sous sa voix toujours douce à votre ennui qui bêle,
Je serai, moi, par nos chemins, son chien fidèle.

---

11. « La bise se rue à travers... »

① Pièce composée, semble-t-il, en prison, bien que Verlaine la
date par ailleurs de « Jehonville, mai 1873, à travers champs ».
Cette campagne, à la fois pleine de *neige* et *ensoleillée*,
vous semble-t-elle très réelle? Ne peut-on cependant relever
quelques détails d'un pittoresque savoureux?

② Comment passe-t-on du paysage matériel au paysage moral?
Le printemps sévère encore est-il simplement une indication météo-
rologique?

---

1. Traduction assez libre de Dante (*Purgatoire*, III, 79-84).

13

L'échelonnement des haies [1]
Moutonne à l'infini, mer
Claire dans le brouillard clair
Qui sent bon les jeunes baies.

[5] Des arbres et des moulins
Sont légers sur le vert tendre
Où vient s'ébattre et s'étendre
L'agilité des poulains.

Dans ce vague d'un Dimanche
[10] Voici se jouer aussi
De grandes brebis aussi
Douces que leur laine blanche.

Tout à l'heure déferlait
L'onde, roulée en volutes,
[15] De cloches comme des flûtes
Dans le ciel comme du lait.

Stickney, 75

21

C'est la fête du blé, c'est la fête du pain
Aux chers lieux d'autrefois revus après ces choses!
Tout bruit, la nature et l'homme, dans un bain
De lumière si blanc que les ombres sont roses.

[5] L'or des pailles s'effondre au vol siffleur des faux
Dont l'éclair plonge, et va luire, et se réverbère.
La plaine, tout au loin couverte de travaux,
Change de face à chaque instant, gaie et sévère.

Tout halète, tout n'est qu'effort et mouvement
[10] Sous le soleil, tranquille auteur des moissons mûres,
Et qui travaille encore, imperturbablement,
A gonfler, à sucrer — là-bas! — les grappes sures.

---

1. Verlaine évoque ici un « paysage du Lincolnshire » comme il le dira lui-même, près de Stickney, où il a été professeur quelque temps en 1875.

Travaille, vieux soleil, pour le pain et le vin,
Nourris l'homme du lait de la terre, et lui donne
¹⁵ L'honnête verre où rit un peu d'oubli divin...
Moissonneurs, — vendangeurs là-bas! — votre heure est
[bonne!

Car sur la fleur des pains et sur la fleur des vins,
Fruit de la force humaine en tous lieux répartie,
Dieu moissonne, et vendange, et dispose à ses fins
²⁰ La Chair et le Sang pour le calice et l'hostie!

Fampoux, 77

13. « L'échelonnement des haies... »

① Relever et analyser les différentes sensations intéressées par
cette évocation printanière (vue, ouïe, odorat, etc.). N'y a-t-il pas
aussi quelques notations abstraites?
② Le paysage vous semble-t-il s'éparpiller en une poussière
d'impressions, ou bien garde-t-il une unité profonde?
③ Ce poème est-il impressionniste ou symboliste?

21. « C'est la fête du blé... »

① Verlaine a écrit ce poème à Fampoux, près d'Arras, dans sa
famille maternelle. Trouvez-vous que, selon le mot de L. Morice,
ce poème a « l'odeur des champs », et qu'il peint « avec un art
incomparable, qui fait songer à celui d'un Manet, le mouvement
de la lumière sur la plaine baignée de soleil »?
② Pensez-vous que l'allusion à l'Eucharistie couronne magistrale-
ment ce poème et lui donne une dimension nouvelle ou bien qu'elle
est plaquée sur un poème profane afin de le rendre artificiellement
chrétien?
③ « Lorsqu'on observe bien [cette poésie], elle apparaît d'une
éloquence un peu vide, d'un romantisme oratoire qui ferait penser
à un Lamartine inférieur » (A. Adam). Êtes-vous de cet avis?

Sur l'ensemble de « Sagesse »

Si l'on en croit A. Adam, Verlaine y a mis en œuvre pour la première fois un « système poétique » entrevu dès 1873, sans doute
sous l'influence de Rimbaud : « Après avoir épuisé les ressources
[de l'impressionnisme], Verlaine en découvre maintenant les
limites. Il y a mieux à faire au poète que de noter des impressions.
Il faut atteindre, au delà, l'âme mystérieuse des choses, il faut, par
delà les apparences, pousser jusqu'à la réalité qui est esprit [...].
Entre [la] vie secrète de l'âme et celle des choses il appartient au
poète de dégager, de découvrir les mystérieuses correspondances.
Le monde sensible n'est plus, pour Verlaine, la matière de notations
pittoresques. Il devient le miroir de son destin, l'image de ses
désastres et de ses espérances.» Que pensez-vous de cette opinion?

JADIS ET NAGUÈRE (1884)

Publié en 1884, *Jadis et Naguère* est un recueil très disparate, dans lequel Verlaine a fait entrer, à côté de poésies très récentes, des poésies composées depuis plus de quinze ans. On y trouve à la fois du meilleur et du pire. Parmi les pièces les plus réussies, il faut attacher une importance particulière à l'*Art poétique* : écrit dès avril 1874, il valut à Verlaine de passer malgré lui pour le chef de l'école symboliste; il a, en tout cas, le mérite incontestable d'exprimer de façon très claire et très frappante une conception originale de la poésie.

JADIS

KALÉIDOSCOPE

A Germain Nouveau

Dans une rue, au cœur d'une ville de rêve,
Ce sera comme quand on a déjà vécu :
Un instant à la fois très vague et très aigu...
O ce soleil parmi la brume qui se lève !

5 Ô ce cri sur la mer, cette voix dans les bois !
Ce sera comme quand on ignore des causes;
Un lent réveil après bien des métempsycoses :
Les choses seront plus les mêmes qu'autrefois

Dans cette rue, au cœur de la ville magique
10 Où des orgues moudront des gigues [1] dans les soirs,
Où les cafés auront des chats sur les dressoirs,
Et que traverseront des bandes [2] de musique.

Ce sera si fatal qu'on en croira mourir :
Des larmes ruisselant douces le long des joues,
15 Des rires sanglotés dans le fracas des roues,
Des invocations à la mort de venir,

Des mots anciens comme un bouquet de fleurs fanées !
Les bruits aigres des bals publics arriveront,
Et des veuves avec du cuivre après leur front,
20 Paysannes, fendront la foule des traînées

Qui flânent là, causant avec d'affreux moutards
Et des vieux sans sourcils que la dartre enfarine,
Cependant qu'à deux pas, dans des senteurs d'urine,
Quelque fête publique enverra des pétards.

---

1. Danses d'origine anglaise. — 2. Sans doute s'agit-il du mot anglais *band* (= fanfare) francisé.

²⁵ Ce sera comme quand on rêve et qu'on s'éveille,
Et que l'on se rendort et que l'on rêve encor
De la même féerie et du même décor,
L'été, dans l'herbe, au bruit moiré d'un vol d'abeille.

ART POÉTIQUE

A Charles Morice

De la musique avant toute chose,
Et pour cela préfère l'Impair
Plus vague et plus soluble dans l'air,
Sans rien en lui qui pèse ou qui pose.

⁵ Il faut aussi que tu n'ailles point
Choisir tes mots sans quelque méprise :
Rien de plus cher que la chanson grise
Où l'Indécis au Précis se joint.

C'est des beaux yeux derrière des voiles,
¹⁰ C'est le grand jour tremblant de midi,
C'est, par un ciel d'automne attiédi,
Le bleu fouillis des claires étoiles!

Car nous voulons la Nuance encor,
Pas la Couleur, rien que la nuance!
¹⁵ Oh! la nuance seule fiance
Le rêve au rêve et la flûte au cor!

Kaléidoscope

① Le kaléidoscope est un cylindre où s'agitent et se reflètent de petits objets colorés, procurant ainsi une succession capricieuse d'images : la composition du poème et la suite des images qui le constituent n'obéissent-elles pas à des caprices analogues?

② Distinguer les éléments qui relèvent d'une vision réaliste et les paysages de rêves. Sont-ils fondus ou séparés? Quelle impression globale donnent-ils?

③ Relever et analyser les réussites de détail (sonorités, coupes, correspondances).

Fuis du plus loin la Pointe assassine,
L'Esprit cruel et le Rire impur,
Qui font pleurer les yeux de l'Azur,
20 Et tout cet ail de basse cuisine!

Prends l'éloquence et tords-lui son cou!
Tu feras bien, en train d'énergie,
De rendre un peu la Rime assagie :
Si l'on n'y veille, elle ira jusqu'où?

25 Ô qui dira les torts de la Rime?
Quel enfant sourd ou quel nègre fou
Nous a forgé ce bijou d'un sou
Qui sonne creux et faux sous la lime?

De la musique encore et toujours!
30 Que ton vers soit la chose envolée
Qu'on sent qui fuit d'une âme en allée
Vers d'autres cieux à d'autres amours.

Que ton vers soit la bonne aventure
Éparse au vent crispé du matin
35 Qui va fleurant la menthe et le thym...
Et tout le reste est littérature.

Art poétique

① Après Baudelaire, poète conscient de son art par excellence,
et d'après lui, à peu près tous les poètes ont écrit un art poétique.
Verlaine, pourtant fort peu théoricien, ne fait pas exception.
Étudier la composition de cette pièce et en dégager l'idée essentielle.

② Illustrer chaque idée (conseil ou mise en garde) par référence
à l'œuvre de Verlaine. Le poète est-il fidèle au théoricien?

③ Que penser du divorce institué par Verlaine entre littérature
et poésie? Qu'entend-il au juste par l'un et l'autre terme? Comparer Baudelaire : « La poésie n'a pas d'autre but qu'elle-même »,
et Valéry : « Le poète se consacre et se consume à définir et à
construire un langage dans le langage. »

④ L'art poétique risque ici de cacher le poème : cette pièce
vaut-elle uniquement par la théorie esthétique qu'elle exprime
ou bien est-elle aussi une belle poésie? Quelles sont à ce propos les
strophes les plus réussies?

LANGUEUR

A Georges Courteline

Je suis l'Empire à la fin de la décadence,
Qui regarde passer les grands Barbares blancs
En composant des acrostiches [1] indolents
D'un style d'or où la langueur du soleil danse.

[5] L'âme seulette a mal au cœur d'un ennui dense.
Là-bas on dit qu'il est de longs combats sanglants.
Ô n'y pouvoir, étant si faible aux vœux si lents,
Ô n'y vouloir fleurir un peu cette existence!

Ô n'y vouloir, ô n'y pouvoir mourir un peu!
[10] Ah! tout est bu! Bathylle [2], as-tu fini de rire?
Ah! tout est bu, tout est mangé! Plus rien à dire [3]!

Seul, un poème un peu niais qu'on jette au feu,
Seul, un esclave un peu coureur qui vous néglige,
Seul, un ennui d'on ne sait quoi qui vous afflige!

Langueur

① Ce poème est le développement d'une correspondance indiquée
dès le premier vers. Quels sont les termes qui se correspondent?
Existe-t-il dans l'œuvre de Verlaine d'autres poèmes construits
selon cette structure?

② Vers 1880, un groupe de jeunes poètes reprennent, pour s'en
glorifier, le titre de **décadents** que leur avaient donné leurs adver-
saires : pourquoi ont-ils été particulièrement sensibles à ce sonnet?
Relever tous les éléments (historiques, sentimentaux, rythmiques,
musicaux) qui contribuent à évoquer une *décadence*.

---

1. « Poésie composée de telle sorte qu'en lisant dans le sens vertical la première lettre
de chaque vers, on trouve le mot pris pour sujet » (Larousse). Le mot symbolise ici, par
extension, toute forme d'art compliqué qui a oublié la simplicité classique. — 2. Nom
latin. — 3. Impression généralement ressentie à la fin d'un grand siècle. *Cf.* La Bruyère :
« *Tout est dit et l'on vient trop tard.* »

NAGUÈRE

CRIMEN AMORIS [1]

A Villiers de l'Isle-Adam

Dans un palais, soie et or, dans Ecbatane [2],
De beaux démons, des satans adolescents,
Au son d'une musique mahométane,
Font litière aux Sept Péchés de leurs cinq sens.

5   C'est la fête aux Sept Péchés : ô qu'elle est belle!
Tous les Désirs rayonnaient en feux brutaux;
Les Appétits, pages prompts que l'on harcèle,
Promenaient des vins roses dans des cristaux.

Des danses sur des rhythmes d'épithalames
10 Bien doucement se pâmaient en longs sanglots
Et de beaux chœurs de voix d'hommes et de femmes
Se déroulaient, palpitaient comme des flots,

Et la bonté qui s'en allait de ces choses
Était puissante et charmante tellement
15 Que la campagne autour se fleurit de roses
Et que la nuit paraissait en diamant.

Or, le plus beau d'entre tous ces mauvais anges
Avait seize ans sous sa couronne de fleurs.
Les bras croisés sur les colliers et les franges,
20 Il rêve, l'œil plein de flammes et de pleurs.

En vain la fête autour se faisait plus folle,
En vain les satans, ses frères et ses sœurs,
Pour l'arracher au souci qui le désole,
L'encourageaient d'appels de bras caresseurs :

---

1. Littéralement : crime d'amour. Rimbaud voulait parvenir, par delà le Bien et le
Mal, à une sorte d'*Amour universel* (v. 56) : c'est précisément la tentative dont il est puni.
— 2. Capitale de l'ancienne Médie.

²⁵ Il résistait à toutes câlineries,
   Et le chagrin mettait un papillon noir
   A son cher front tout brûlant d'orfèvreries.
   Ô l'immortel et terrible désespoir!

   Il leur disait : « Ô vous, laissez-moi tranquille! »
³⁰ Puis, les ayant baisés tous bien tendrement,
   Il s'évada d'avec eux d'un geste agile,
   Leur laissant aux mains des pans de vêtement.

   Le voyez-vous sur la tour la plus céleste
   Du haut palais avec une torche au poing?
³⁵ Il la brandit comme un héros fait d'un ceste :
   D'en bas on croit que c'est une aube qui point.

   Qu'est-ce qu'il dit de sa voix profonde et tendre
   Qui se marie au claquement clair du feu
   Et que la lune est extatique d'entendre?
⁴⁰ « Oh! je serai celui-là qui créera Dieu!

   » Nous avons trop souffert, anges et hommes,
   » De ce conflit entre le Pire et le Mieux.
   » Humilions, misérables que nous sommes,
   » Tous nos élans dans le plus simple des vœux.

⁴⁵ » Ô vous tous, ô nous tous, ô les pécheurs tristes,
   » Ô les gais Saints, pourquoi ce schisme têtu?
   » Que n'avons-nous fait, en habiles artistes,
   » De nos travaux la seule et même vertu!

   » Assez et trop de ces luttes trop égales!
⁵⁰ » Il va falloir qu'enfin se rejoignent les
   » Sept Péchés aux Trois Vertus Théologales!
   » Assez et trop de ces combats durs et laids!

   » Et pour réponse à Jésus qui crut bien faire
   » En maintenant l'équilibre de ce duel,
⁵⁵ » Par moi l'enfer dont c'est ici le repaire
   » Se sacrifie à l'Amour universel! »

La torche tombe de sa main éployée,
Et l'incendie alors hurla s'élevant,
Querelle énorme d'aigles rouges noyée
⁶⁰ Au remous noir de la fumée et du vent.

L'or fond et coule à flots et le marbre éclate;
C'est un brasier tout splendeur et tout ardeur.
La soie en courts frissons comme de l'ouate
Vole à flocons tout ardeur et tout splendeur.

⁶⁵ Et les satans mourants chantaient dans les flammes,
Ayant compris, comme ils s'étaient résignés.
Et de beaux chœurs de voix d'hommes et de femmes
Montaient parmi l'ouragan des bruits ignés.

Et lui, les bras croisés d'une sorte fière,
⁷⁰ Les yeux au ciel où le feu monte en léchant,
Il dit tout bas une espèce de prière
Qui va mourir dans l'allégresse du chant.

Il dit tout bas une espèce de prière,
Les yeux au ciel où le feu monte en léchant...
⁷⁵ Quand retentit un affreux coup de tonnerre,
Et c'est la fin de l'allégresse et du chant.

On n'avait pas agréé le sacrifice :
Quelqu'un de fort et de juste assurément
Sans peine avait su démêler la malice
⁸⁰ Et l'artifice en un orgueil qui se ment.

Et du palais aux cent tours aucun vestige,
Rien ne resta dans ce désastre inouï,
Afin que par le plus effrayant prodige
Ceci ne fût qu'un vain rêve évanoui...

⁸⁵ Et c'est la nuit, la nuit bleue aux mille étoiles;
Une campagne évangélique s'étend,
Sévère et douce, et, vagues comme des voiles,
Les branches d'arbre ont l'air d'ailes s'agitant.

De froids ruisseaux courent sur un lit de pierre;
90 Les doux hiboux nagent vaguement dans l'air
Tout embaumé de mystère et de prière;
Parfois un flot qui saute lance un éclair.

La forme molle au loin monte des collines
Comme un amour encore mal défini,
95 Et le brouillard qui s'essore des ravines
Semble un effort vers quelque but réuni.

Et tout cela comme un cœur et comme une âme,
Et comme un verbe, et d'un amour virginal
Adore, s'ouvre en une extase et réclame
100 Le Dieu clément qui nous gardera du mal.

Crimen amoris

① Publié seulement en 1884, ce poème avait été une des premières œuvres écrites en prison par Verlaine (juillet 1873). Encore tout plein des souvenirs de Rimbaud, c'est son ami que Verlaine représente sous les traits du *plus beau d'entre tous ces mauvais anges* (v. 17), et c'est son aventure spirituelle et poétique qu'il évoque. A ce propos on devra se reporter à la *Saison en Enfer*. D'après ce poème-ci, qu'est-ce que Verlaine a surtout retenu de l'ambition de Rimbaud?

② Quels sont les sentiments de Verlaine devant la révolte, puis devant la punition de ce jeune Satan?

③ « *Crimen amoris* est un très beau poème philosophique à résonance quasi nietzschéenne » (Cl. Cuénot). Peut-on partager cette opinion?

④ En quoi consiste la « poésie » de ce texte? Est-il indifférent qu'il soit écrit en vers de onze syllabes? « Verlaine adopte l'hendé-casyllabe dont on a pu dire qu'il était la perfection de l'inachevé, qui annonce l'alexandrin, le fait prévoir et se dérobe. Il le rend plus fluide encore en variant de vers en vers la position des césures » (A. Adam). L'étude de ce texte corrobore-t-elle ce jugement?

AMOUR (*1888*)

Après *Jadis et Naguère* la poésie de Verlaine retrouve très rarement son niveau de l'apogée. Il y a encore quelques éclairs dans *Amour* (dédié à son fils Georges Verlaine), sous la forme du *Lamento* pour Lucien Létinois, où Verlaine chante la mémoire de son jeune protégé et de quelques autres êtres qui lui furent chers, et où la qualité du sentiment (« *J'ai la fureur d'aimer. Mon cœur si faible est fou* ») transfigure parfois l'expression poétique.

PARALLÈLEMENT (*1889*)

Parallèlement est inséparable d'*Amour*. Après les poésies de l'amour épuré, celles de l'amour charnel. Les deux pièces que nous en citons se situent un peu en marge de l'inspiration générale du recueil.

AMOUR

LUCIEN LÉTINOIS

1

Mon fils [1] est mort. J'adore, ô mon Dieu, votre loi.
Je vous offre les pleurs d'un cœur presque parjure;
Vous châtiez fort bien et parferez la foi
Qu'alanguissait l'amour pour une créature.

[5] Vous châtiez bien fort. Mon fils est mort, hélas!
Vous me l'aviez donné, voici que votre droite
Me le reprend à l'heure où mes pauvres pieds las
Réclamaient ce cher guide en cette route étroite.

Vous me l'aviez donné, vous me le reprenez :
[10] Gloire à vous! J'oubliais beaucoup trop votre gloire
Dans la langueur d'aimer mieux les trésors donnés
Que le Munificent [2] de toute cette histoire.

Vous me l'aviez donné, je vous le rends très pur,
Tout pétri de vertu, d'amour et de simplesse.
[15] C'est pourquoi, pardonnez, Terrible, à celui sur
Le cœur de qui, Dieu fort, sévit cette faiblesse.

Et laissez-moi pleurer [3] et faites-moi bénir
L'élu dont vous voudrez certes que la prière
Rapproche un peu l'instant si bon de revenir
[20] A lui dans Vous, Jésus, après ma mort dernière.

---

1. « Mon fils est mort... »

① Sous le coup d'une douleur profonde et sincère, Verlaine retrouve les accents d'un certain lyrisme, illustré abondamment par les Romantiques : on pourra comparer à ce poème le célèbre *A Villequier* de Hugo dans *les Contemplations*. Il retrouve aussi l'inspiration religieuse de *Sagesse*. En dépit de la sincérité de Verlaine, ne peut-on relever ici quelques traces de rhétorique? Que peut-on en conclure?

---

1. Lucien Létinois, fils adoptif de Verlaine (voir p. 8 et 9). — 2. Dieu lui-même, source de tous les dons et de tous les « trésors ». — 3. Après la mort de sa fille, Hugo disait :
Je cesse d'accuser, je cesse de maudire
Mais laissez-moi pleurer.

(A Villequier)

4

Ma cousine Élisa, presque une sœur aînée,
Mieux qu'une sœur, ô toi, voici donc ramenée
La saison de malheur où tu me quittas pour
Ce toujours, — ce jamais! Le voici de retour
⁵ Le jour affreux qui m'a sevré de l'aile douce
Où m'abriter contre tel chagrin de Tom Pouce,
Tel bobo. Certes, oui, pauvre maman était
Bien, trop! bonne, et mon cœur à la voir palpitait,
Tressautait, et riait, et pleurait de l'entendre.
¹⁰ Mais toi, je t'aimais autrement, non pas plus tendre,
Plus familier, voilà. Car la Mère est toujours
Au fond redoutée un petit et respectée
Absolument, tandis qu'à jamais regrettée,
Tu m'apparais, chère ombre, ainsi qu'en ton vivant,
¹⁵ Blonde et rose au profil pourtant grave et rêvant,
Avec de beaux yeux bleus où s'instruisait mon âme
De tout petit garçon, et plus tard, où la flamme
De ma forte amitié chaste d'adolescent,
Puis d'homme, mettait un relief incandescent.
²⁰ Et tu me fus d'abord guide, puis camarade,
Puis ami, non amie (une nuance fade).

Et tu dors maintenant après m'avoir béni.
Mais je sens bien qu'en moi quelque chose est fini.

13

Le petit coin, le petit nid
              Que j'ai trouvés,
Les grands espoirs que j'ai couvés,
              Dieu les bénit.
²⁵ Les heures des fautes passées
              Sont effacées
Au pur cadran de mes pensées.

L'innocence m'entoure et toi,
        Simplicité,
¹⁰ Mon cœur par Jésus visité
        Manque de quoi?
Ma pauvreté, ma solitude,
        Pain dur, lit rude,
Quel soin jaloux! l'exquise étude!

¹⁵ L'âme aimante au cœur fait exprès,
        Ce dévouement,
Viennent donner un dénouement
        Calme et si frais
A la détresse de ma vie
²⁰   Inassouvie
D'avoir satisfait toute envie!

Seigneur, ô merci. N'est-ce pas
        La bonne mort?
Aimez mon patient effort
²⁵   Et nos combats.
Les miens et moi, le ciel nous voie
        Par l'humble voie
Entrer, Seigneur, dans Votre Joie.

---

4. « Ma cousine Élisa... »

① On se reportera aux indications biographiques que nous avons données (p. 4), et à ceux des *Poèmes Saturniens* que sa cousine a probablement inspirés à Verlaine. Élisa apparaît-elle ici sous les mêmes traits? Son rôle auprès de Verlaine est-il le même?
② Comment pourrait-on caractériser le style de ce poème? Quels vers vous semblent particulièrement émouvants?

13. « Le petit coin, le petit nid... »

Le « *petit coin* » évoqué ici, c'est la ferme de Juniville que Verlaine comptait exploiter avec Lucien et ses parents. Si nous l'en croyons, Verlaine avait longtemps désiré cette aventure : « Mon idée a toujours été d'habiter dans la vraie campagne, dans un village en plein champ, une maison d'exploitation, une ferme dont je fusse le propriétaire et l'un des travailleurs, l'un des plus humbles, vu ma faiblesse et ma paresse. Eh bien, j'ai réalisé cet *hoc erat* [vœu], j'ai connu, pratiqué, apprécié les menues besognes des champs, un jardinage léger, la bonne curiosité, les saines médisances villageoises, [...] et le sommeil à poings fermés après une journée simple. Cela assez longtemps pour m'en toujours souvenir et le regretter longtemps» (*Mémoires d'un veuf*, 1886).

15

Puisque encore déjà la sottise tempête,
Explique alors la chose, ô malheureux poète.

Je connus cet enfant, mon amère douceur,
Dans un pieux collège où j'étais professeur [1].
5 Ses dix-sept ans mutins et maigres, sa réelle
Intelligence, et la pureté vraiment belle
Que disaient et ses yeux et son geste et sa voix,
Captivèrent mon cœur et discrètement mon choix
De lui pour fils, puisque mon vrai fils, mes entrailles,
10 On me le cache en manière de représailles
Pour je ne sais quels torts charnels et surtout pour
Un fier départ [2] à la recherche de l'amour
Loin d'une vie aux platitudes résignée!
Oui, surtout et plutôt pour ma fuite indignée
15 En compagnie illustre et fraternelle vers
Tous les points du physique et moral univers,
     — Il paraît que des gens dirent jusqu'à Sodome, —
Où mourussent les cris de Madame Prudhomme [3]!

Je lui fis part de mon dessein. Il accepta.

20 Il avait des parents qu'il aimait, qu'il quitta
D'esprit pour être mien, tout en restant son maître,
Et maître de son cœur, de son âme peut-être,
Mais de son esprit, plus.
                              Ce fut bien, ce fut beau,
Et c'eût été trop bon, n'eût été le tombeau.
25 Jugez.
          En même temps que toutes mes idées
(Les bonnes!) entraient dans son esprit, précédées
De l'Amitié jonchant leur passage de fleurs,
De lui, simple et blanc comme un lys calme aux couleurs
D'innocence candide et d'espérance verte,
30 L'Exemple descendait sur mon âme entr'ouverte

---

1. Lucien Létinois avait été l'élève de Verlaine à l'Institution Notre-Dame, de Rethel.
— 2. Celui de l'aventure avec Rimbaud. — 3. Ce surnom désigne Mathilde et souligne
sa platitude bourgeoise.

Et sur mon cœur qu'il pénétrait, plein de pitié,
Par un chemin semé des fleurs de l'Amitié;
Exemple des vertus joyeuses, la franchise,
La chasteté, la foi naïve dans l'Église,
35 Exemple des vertus austères, vivre en Dieu,
Le chérir en tout temps et le craindre en tout lieu,
Sourire, que l'instant soit léger ou sévère,
Pardonner, qui n'est pas une petite affaire!

Cela dura six ans, puis l'ange s'envola [1],
40 Dès lors je vais hagard et comme ivre. Voilà.

25

Ô mes morts tristement nombreux
Qui me faites un dôme ombreux
De paix, de prière et d'exemple,
Comme autrefois le Dieu vivant
5 Daigna vouloir qu'un humble enfant
Se sanctifiât dans le temple,

Ô mes morts penchés sur mon cœur,
Pitoyables à sa langueur,
Père, mère, âmes angéliques,
10 Et toi qui fus mieux qu'une sœur [2],
Et toi, jeune homme de douceur [3]
Pour qui ces vers mélancoliques,

Et vous tous, la meilleure part
De mon âme, dont le départ
15 Flétrit mon heure la meilleure,
Amis que votre heure faucha,
Ô mes morts, voyez que déjà
Il se fait temps qu'aussi je meure.

---

1. Lucien Létinois mourut le 7 avril 1883. — 2. Sa cousine Élisa. — 3. Lucien Létinois.

Car plus rien sur terre qu'exil!
20 Et pourquoi Dieu retire-t-il
Le pain lui-même de ma bouche,
Sinon pour me rejoindre à vous
Dans son sein redoutable et doux,
Loin de ce monde âpre et farouche.

25 Aplanissez-moi le chemin,
Venez me prendre par la main,
Soyez mes guides dans la gloire,
Ou bien plutôt, — Seigneur vengeur! —
Priez pour un pauvre pécheur
30 Indigne encor du Purgatoire.

BATIGNOLLES

Un grand bloc de grès [1]; quatre noms : mon père
Et ma mère et moi, puis mon fils bien tard
Dans l'étroite paix du plat cimetière
Blanc et noir et vert, au long du rempart.

5 Cinq tables de grès; le tombeau nu, fruste,
Et un carré long, haut d'un mètre et plus,
Qu'une chaîne entoure et décore juste,
Au bas du faubourg qui ne bruit plus.

C'est de là que la trompette de l'ange
10 Fera se dresser nos corps ranimés
Pour la vie enfin qui jamais ne change,
Ô vous, père et mère et fils bien-aimés.

1. Le caveau de la famille Verlaine se trouvait au cimetière des Batignolles.

PARALLÈLEMENT

AUTRE

La cour se fleurit de souci
    Comme le front
    De tous ceux-ci
    Qui vont en rond
5 En flageolant sur leur fémur
    Débilité
    Le long du mur
    Fou de clarté.

Tournez, Samsons [1] sans Dalila,
10   Sans Philistin,
    Tournez bien la
    Meule au destin.
Vaincu risible de la loi,
    Mouds tour à tour
15   Ton cœur, ta foi
    Et ton amour!

Ils vont! et leurs pauvres souliers
    Font un bruit sec,
    Humiliés,
20   La pipe au bec.
Pas un mot ou bien le cachot,
    Pas un soupir.
    Il fait si chaud
    Qu'on croit mourir.

25 J'en suis de ce cirque effaré,
    Soumis d'ailleurs
    Et préparé
    A tous malheurs :
Et pourquoi si j'ai contristé
30   Ton vœu têtu,
    Société,
    Me choierais-tu?

---

1. Juge des Hébreux qui, trahi par Dalila, fut livré aux Philistins qui le condamnèrent à tourner la meule d'un moulin.

            Allons, frères, bons vieux voleurs,
                Doux vagabonds,
35   Filous en fleurs,
                Mes chers, mes bons,
        Fumons philosophiquement,
                Promenons-nous
                Paisiblement :
40   Rien faire est doux.

Autre (p. 113-114).

Verlaine, même dans son œuvre poétique, n'a pas toujours évoqué sous des couleurs claires sa vie de prison. On comparera ce
texte à *Sagesse*, III, 6; et aussi, selon l'indication de Y.-G. le
Dantec, à ce passage de *Mes Prisons :* « Une fois par jour, le matin,
les prévenus, par sections, descendaient dans une cour pavée,
«ornée» au milieu d'un petit « jardin » tout en la fleur jaune nommée
souci, munis de leur seau... mieux et pis qu'hygiénique, qu'ils
devaient vider à un endroit désigné et rincer avant de commencer
leur promenade à la queue-leu-leu sous l'œil d'un gardien tout
au plus humain. J'ai fait là-dessus des strophes... »

① On étudiera les moyens de la transposition poétique. Comment
le rythme et les sonorités donnent-ils l'impression d'une ronde,
et d'une ronde presque infernale?

La promenade des détenus, par Gustave Doré
« Tournez, Samsons sans Dalila » (p. 113, v. 9)

B. N. PH. JEANBOR

ÉTUDE LITTÉRAIRE

Verlaine auteur difficile

Comparé à Baudelaire, dont l'œuvre et l'esthétique ont marqué un siècle de création poétique, ou à Mallarmé et aux savantes énigmes de ses vers, Verlaine apparaît tout d'abord comme un auteur facile. Mais il faut se méfier de cette illusion engageante et des légendes qui l'ont créée et l'entretiennent. Chez Verlaine, l'homme ne se réduit pas au consommateur désenchanté de la « fée verte », pas plus que le poète ne se confond avec l'artiste naïf qui, certain jour, a un peu paresseusement déclaré : *L'art, mes enfants, c'est d'être absolument soi-même.* Quand on cherche à le comprendre, la difficulté est aggravée par le fait que ni sa vie, ni son œuvre ne sont uniformes : on peut toujours douter si c'est le grand enfant ou le faune gourmand qui dominent en lui, s'il a été victime ou responsable de son destin, et, de fait, les critiques divergent aussi bien sur ses qualités de poète que sur sa personnalité d'homme. Charles Maurras lui a reproché d'avoir pratiqué la liberté de l'art « d'un zèle sauvage et fou » et d'avoir « perdu la langue, abîmé le style et réduit à rien la pensée », tandis qu'un de ses plus récents exégètes, J.-H. Bornecque, lui consacre des commentaires pleins de piété : « Appliquant à la poésie, par tâtonnements savants, une analyse spectrale des émotions immédiates et des instants profonds, il a cherché en même temps avec une anxiété récompensée la sécurité d'un enchantement spirituel au cœur même du trouble saisi et réduit par l'œuvre d'art. En saisissant à leur naissance les murmures et la pulsation de l'être ou des choses dans leur pénombre, il a ainsi exprimé cette part de l'ineffable qui, étant l'essence de la vie intime, représente le vrai royaume de la liberté. » A. Adam signale à juste titre une autre ambiguïté : « [Verlaine] a été considéré pendant quelques années comme le plus grand des poètes vivants. Il reste sans doute l'un des plus lus, l'un des rares poètes qui aient obtenu une audience générale dans notre pays. Mais son influence a peut-être été nulle sur le développement de la poésie française. » De telles divergences, qui vont jusqu'à la contradiction, ne peuvent qu'inviter le critique à se montrer attentif et circonspect.

Situation historique

L'œuvre de Verlaine se situe au confluent de grands courants qui ont marqué l'histoire de la poésie et de l'art au XIXe siècle. Ce n'est pas contester son originalité que de constater qu'il a subi des influences. Les plus grands novateurs commencent souvent par des pastiches. Verlaine, lui, a commencé par être baudelairien.

BAUDELAIRE

L'étude que Verlaine a consacrée à Baudelaire est loin d'être de premier ordre. Du moins nous montre-t-elle qu'il a eu le mérite d'apercevoir dès 1865 la grandeur de Baudelaire, et de montrer à cette occasion plus de perspicacité que le trop sage Sainte-Beuve. A vrai dire, il nous présente un Baudelaire bien partiel et bien tronqué, celui qui tenait à séparer la poésie de la morale pour ne lui donner « d'autre but qu'elle-même » et qui dénonçait les facilités de l'inspiration romantique. Verlaine renchérit à grand renfort d'exclamations sur ces thèmes déjà un peu usés ; en revanche, il s'obstine à ne voir dans le « satanisme foncé » de Baudelaire qu' « un inoffensif et pittoresque caprice d'artiste ». En somme, il retient surtout de Baudelaire ce qui va dans le sens des Parnassiens.

LES PARNASSIENS

Même si leur influence sur son œuvre a été souvent exagérée, il est incontestable que Verlaine a connu, fréquenté et admiré les Parnassiens. Notons que ceux qui sont passés à la postérité sous ce titre constituaient alors bien plutôt un groupe très ouvert et aux contours assez indécis qu'une école proprement dite avec ce que le terme implique de dogmatisme et d'unité. Encouragés par Gautier, transfuge du romantisme sentimental, quelques jeunes poètes, dont Leconte de Lisle, avaient fondé des revues, comme la *Revue Fantaisiste*, la *Revue du Progrès*, toutes deux éphémères, avant de s'exprimer dans l'*Art* et enfin le *Parnasse contemporain*. C'est dans cette dernière publication que Verlaine, leur camarade, publia ses premiers vers. Il va tenter d'être « impassible » lui aussi, pour la bonne raison que ce sont les tendances de l'avant-garde et que telle était aussi la leçon de son jeune aîné, Banville. Mais les *Poèmes Saturniens* [1] montrent de reste qu'il n'a pas été influencé au point d'oublier sa personnalité. Baudelaire avait fait dire, lui aussi, à sa première *Beauté* : « Je suis belle, ô mortels, comme un rêve de pierre. » La Vénus de Milo verlainienne n'est pas plus profondément parnassienne.

LES IMPRESSIONNISTES

A. Adam a montré qu'il y avait plus qu'une capricieuse rencontre de vocabulaire entre l'impressionnisme dont on qualifie spontanément l'art de Verlaine dans beaucoup de ses poèmes, et les peintres que l'on désigne sous ce nom. Verlaine avait continué la tradition de certains romantiques qui ne dédaignaient ni le contact des peintres, ni leurs problèmes

1. Voir p. 15.

techniques. Lorsque, vers les années 1870-1874, se dessine la révolution impressionniste, Verlaine est particulièrement bien placé pour en subir l'influence. Il connaît personnellement plusieurs artistes et s'intéresse à leurs recherches. En outre cette technique de l'impression brève s'accordait bien avec son propre tempérament, cependant que « l'esthétique de l'éphémère » — selon la définition souvent citée que J. Laforgue a donnée de l'impressionnisme — convenait particulièrement à un poète dont le souffle, en général peu puissant, trouvait sa plénitude et sa perfection dans des poèmes courts. On peut en tout cas qualifier sans exagération d'impressionnistes les poésies de Verlaine contemporaines de cette époque, et en premier lieu les *Paysages belges*, qui constituent une partie importante des *Romances sans paroles*.

LES SYMBOLISTES

Le nom de Verlaine est inséparable du symbolisme, mais il s'agit pour lui, dans ce cas, d'une influence exercée plutôt que subie. Si l'on entend par symbolisme le large courant d'idéalisme poétique qui s'étend sur toute la seconde moitié du XIXe siècle, il est indéniable que Verlaine, après Baudelaire mais dans le même sens que lui, a pratiqué un art soucieux de traduire le mystère et l'âme des choses en utilisant plutôt les fluides suggestions de la musique que des significations très arrêtées. En ce sens, il y a presque toujours eu du symbolisme chez Verlaine : lors même qu'il était le plus parnassien, son rêve était déjà « étrange et pénétrant », et les jets d'eau des *Fêtes galantes* « sanglotaient d'extase ». Un peu plus tard, lorsqu'il fut revenu pleinement lui-même dans la maturité de son talent, sa chanson grise « *où l'indécis au précis se joint* », ses tableaux où la nuance est préférée à la couleur illustrent à merveille cette nouvelle poétique dont l'ambition, si nous en croyons Valéry, était « *de reprendre à la musique son bien.* »

Quant à l'école symboliste proprement dite, celle des Gustave Kahn, Charles Morice, René Ghil, Stuart Merril, Viélé-Griffin — entre autres —, elle a tout d'abord essayé, peu après 1880, de convaincre Verlaine de porter son drapeau. Ces jeunes poètes, qui se nommaient alors Décadents, admiraient fort son œuvre, dont J.-K. Huysmans contribuait à étendre la réputation avec son *A Rebours* (1884). Verlaine avait dans leurs rangs de solides amis, mais il répugnait au rôle de théoricien patenté pour la bonne raison qu'il ne croyait guère aux théories et aux doctrines poétiques. Un peu plus tard, lorsque la plupart de ces Décadents eurent pris le nom de Symbolistes — le *Manifeste du Symbolisme* de Jean Moréas est de 1886 —, ils continuèrent à se réclamer de l'expression musicale de Verlaine mais se tournèrent de plus en plus vers Mallarmé dont les recherches sur le verbe poétique exerçaient une fascination supérieure. Ainsi Verlaine quitta la scène, peu après, sans avoir jamais eu d'autre influence que celle d'un aîné respecté, admiré et accidentellement imité.

L'originalité de Verlaine

LA MUSIQUE. C'est une banalité de dire que tout poète chante. Mais avec Verlaine la tradition immémoriale du luth et de la lyre prend tout son sens. Cl. Cuénot, au terme d'une minutieuse étude du style de Verlaine, peut écrire : « C'est définitivement à partir de Baudelaire et de Verlaine que s'accomplit la découverte de la poésie musicale, que le vers n'est plus un ensemble de mots pourvus d'un sens, mais bien plutôt un groupement de sons faits pour charmer l'oreille. C'est à ce moment que s'opère définitivement la liaison entre poésie et musique. L'assidu des concerts Pasdeloup, le wagnérien de la première heure, l'ami du violoniste Ernest Bontier et du compositeur Emmanuel Chabrier, le beau-frère du pianiste Charles de Sivry, le beau-fils de Mᵐᵉ Mauté de Fleurville (qui découvrit plus tard Debussy) est certainement — avec Racine — un des poètes français les plus musiciens. » Mais cette constatation d'évidence ne rassure qu'à moitié le critique : dire que le vers de Verlaine chante plus et mieux qu'aucun autre c'est reconnaître du même coup que ses réussites seront particulièrement rebelles à l'analyse. Nous nous bornerons à indiquer ici, en suivant Verlaine théoricien, les moyens les plus habituels de cette musique.

LES MOYENS DE LA MUSIQUE.

● **L'impair.** Verlaine le jugeait « plus vague et plus soluble dans l'air ». En effet le pair, divisible par deux par définition, implique presque obligatoirement la lourdeur d'un balancement, d'un parallélisme. Moins « carré », le rythme impair est celui d'un essor qui s'achève plus aisément en rêve. Dès ses débuts Verlaine l'a pratiqué, et il y est resté fidèle, au moins dans de nombreuses pièces.

● **Les rythmes.** D'une façon plus générale, Verlaine sait admirablement *traiter* sa phrase. On trouve dans son œuvre tous les registres, depuis le désarticulé le plus prosaïque jusqu'au mouvement oratoire. On a souvent comparé ses phrases à de subtiles arabesques; en effet, Verlaine sait en dessiner les méandres avec la discrète ou efficace ponctuation d'une reprise, d'une allitération ou d'une rime intérieure. Et comme la rime terminale est, dans un vers français encore traditionnel, un élément rythmique essentiel, Verlaine l'a aussi beaucoup travaillée, malgré ses déclarations de l'*Art poétique*.

.

● **Le vocabulaire.** Un sens trop précis serait encore, aux yeux de Verlaine, peu « soluble dans l'air ». Aussi bien le choix de ses mots, grâce à de savantes « méprises », contribue-t-il à créer le flou poétique. Il s'opère plutôt en fonction des sonorités — surprises ou échos —, le plus souvent dans le mineur, qu'en fonction de la signification propre. La même désinvolture calculée gouverne la syntaxe.

LE PAYSAGE VERLAINIEN.

Tous les moyens que nous venons d'énumérer sont mis en œuvre pour dessiner un certain paysage, extérieur et intérieur, tout à fait typique de la création poétique de Verlaine. Homme du Nord, Verlaine ne projette pas de lumière éclatante sur les choses. Si d'aventure « le grand jour de midi » apparaît, c'est un jour « tremblant », de même que les étoiles, en dépit de leur clarté, ne constituent qu'« un bleu fouillis ». Le monde poétique de Verlaine est sans contours définis, comme il est normal avec la technique impressionniste. La brume du climat belge rejoint ici les clairs de lune des *Fêtes galantes*. Lorsque les poésies de Verlaine ont un décor, il se reconnaît en général à ces tremblotements dans les lignes qui, en émoussant les arêtes vives, favorisent l'interpénétration des objets, leur polyvalence, leur métamorphose en chose impalpable et mystérieuse, un peu à la manière des parfums dans les poèmes baudelairiens. Ce même caractère se retrouve dans l'univers moral. La vie de Verlaine a été relativement mouvementée et ponctuée de drames et des sentiments extrêmes qui les avaient provoqués ou suivis. Cependant, lors même que sa poésie s'en fait l'écho, Verlaine en atténue les violences. J.-P. Richard a pu parler de sa « fadeur ». Rien ne permet de douter de la sincérité profonde de ses sentiments pour la jeune Mathilde, de ses convictions religieuses de « converti », ou de ses souffrances lorsqu'il prend une conscience aiguë de ses malheurs. Mais, à la ressemblance des héros de ses *Fêtes galantes*, il chante tout sur le mode mineur : le fiancé de Mathilde, dont le moins qu'on puisse dire est qu'il était peu candide, fait figure, dans *la Bonne Chanson*, d'adolescent naïf et facile à émerveiller ; le converti développe quelques lieux communs d'une théologie qui ne dépasse guère le catéchisme, et quand « il pleure » dans son cœur, ce n'est pas une bourrasque d'orage, mais la petite pluie fine et silencieuse d'un jour brumeux. Toujours dans la phrase un adjectif, ou un adverbe, ou un diminutif, est là pour atténuer, pour estomper et rendre la chanson « bien douce ». Dans un poème de *Sagesse* destiné à attendrir Mathilde, Verlaine a dit que sa voix était « voilée ». On ne saurait mieux définir le caractère général de son chant, et son inimitable inflexion.

La naïveté de Verlaine　　　Une certaine légende de la naïveté de Verlaine s'est accréditée facilement. Comment ne pas croire à la naïveté de ce grand enfant que tous ses contemporains ont vu en lui? Naïveté, c'est perméabilité aux illusions, et en premier lieu aux siennes propres : or l'existence de Verlaine est une succession d'erreurs, d'efforts, de projets, d'espoirs et de retombées désarmantes comme un péché d'enfant. Sa poésie n'est-elle pas aussi naïve que sa vie, puisqu'elle lui fait écho, que son lyrisme est d'une simplicité inégalable avec ses mots de tous les jours, ses platitudes, ses impropriétés, qui sont autant de marques d'un balbutiement enfantin? Paul Valéry, un des premiers, s'est insurgé contre cette contamination de l'œuvre par la vie et a souligné l'incompatibilité entre naïveté et poésie : « sa poésie est bien loin d'être naïve, étant impossible à un vrai poète d'être naïf ». Verlaine est en effet un artiste assez conscient de son art pour écrire un *Art poétique* et pour avoir plusieurs « manières », ce qui est au moins le signe d'une méditation lucide. Il faut distinguer naïveté et impression de naïveté : le moindre poème du Verlaine de la grande période est riche d'effets divers, et l'on ne finirait pas de dénombrer les moyens de sa musique. Boileau distinguait déjà « les vers faciles » et « les vers facilement faits ». Il y a, chez le critique, de la naïveté à croire à celle du poète. Ce qu'on peut retenir de ce débat, en ce qui concerne Verlaine, c'est qu'il emprunte en gros son inspiration à sa vie personnelle, qu'il a toujours refusé le joug d'une école — à subir ou à imposer —, que sa poésie garde un air familier, mais que sa façon d'être facile est fort difficile et qu'il y faut plus de sorcellerie que de candeur.

Conclusion　　　La poésie de Verlaine ne permet pas de le classer parmi les géants qui ont tenté de créer un monde, les grands poètes révolutionnaires de la seconde moitié du XIXe siècle, qui ont maintenant le double prestige des classiques et des prophètes. Si on le compare aux *Phares* dont parle Baudelaire, lui-même leur ancêtre, il apparaît comme une petite lumière vacillante et incertaine dans sa nuit. A. Adam, peu suspect de lui être hostile, notait très justement en 1953 : « On ne peut encore dire qu'il soit chose décidée que Verlaine fut un grand poète. » Plus près de nous, la nouvelle critique, par la bouche de J.-P. Richard, lui fait un hommage bien ambigu de sa « fadeur ». Et il est vrai que si l'on assigne pour mission à la poésie de nous révéler l'unité et le secret du monde par de fulgurantes analogies, de nous faire entrevoir, comme disait Baudelaire, « les splendeurs situées derrière le tombeau », il faudra placer Verlaine loin après Lautréamont, Rimbaud, Mallarmé, Claudel ou Valéry. Le dilettante mélancolique, le fiancé naïvement chaleureux, le converti, l'impressionniste, voire le symboliste, dont il a pris les traits tour à tour ou simultanément au fil de ses recueils, ont cette disgrâce commune d'être peu prométhéens et de nous renseigner médiocrement sur les structures du langage.

Mais si l'on s'avise que les grandes aventures qui ont souverainement enrichi et fécondé la poésie, ont peut-être aussi contribué à la couper de plus en plus de son public, on sera reconnaissant à Verlaine de rappeler par son œuvre que la simplicité n'est pas forcément un médiocre aveu d'insignifiance. Certes, on chercherait en vain des résonances métaphysiques au plus connu de ses conseils : « *De la musique avant toute chose* », mais la façon dont Verlaine l'a mis en œuvre lui aurait donné le droit, mieux encore qu'à Valéry, d'intituler *Charmes* ses poèmes, dont c'est le chant qui fait la magie. Et ce n'est pas lui décerner un mince éloge, ni immérité, que de constater que la savante et pure clarté de sa voix l'insère dans une longue tradition de la chanson, qui prend ses racines dans notre Moyen Age pour s'épanouir, juste après Verlaine, dans la complainte du *Mal Aimé*.

DOSSIER PÉDAGOGIQUE

L'influence de Baudelaire

Verlaine lui-même a reconnu combien il avait été marqué par la lecture des *Fleurs du Mal*. Alors qu'il n'était encore qu'un collégien, la lecture de Baudelaire eut sur lui, dit-il, « une influence réelle et qui ne pouvait que grandir, et alors, s'élucider, se logifier avec le temps. » Ailleurs, il écrit : « Baudelaire fut mon plus cher fanatisme ». Sa carrière littéraire commence par un article sur Baudelaire, paru en 1865 dans l'*Art*. A partir de cet essai, G. ZAYED tente de déterminer les aspects de Baudelaire qui ont séduit et influencé Verlaine à vingt ans : « le jeune critique a saisi [...] un côté de la spiritualité baudelairienne : l'inquiétude morale, le desir de dépassement, la nostalgie de l'infini et le besoin d'un idéal supraterrestre. On peut dire que dans sa jeunesse, Verlaine a été véritablement dominé par Baudelaire, au point qu'un grand nombre de ses plus beaux poèmes ont pour point de départ un thème, un vers ou un souvenir baudelairiens ».

— *Essayez de préciser lesquels de ces thèmes et de ces souvenirs baudelairiens apparaissent dans les* Poèmes Saturniens *et les* Fêtes Galantes.

Octave NADAL, dans son *Paul Verlaine,* montre en quoi la sensation verlainienne diffère de la sensation de Baudelaire, lieu des « correspondances » : « Verlaine nous livre les sensations telles quelles : prises à l'anonymat du monde et de l'instant. La fin spirituelle que Baudelaire leur a fait assumer, manque [...] Verlaine ne sent pas, comme Baudelaire, une présence de l'esprit au cœur de ces sensations; ou du moins une analogie des sens à l'esprit. Pour lui, les sensations [...] ne valent que par leur spécificité sensuelle (Verlaine est un dégustateur hors pair) non par référence à un autre monde qu'elles auraient mission de révéler ».

Pour Jean-Pierre RICHARD, qui oppose dans *Poésies et profondeur* la sensation verlainienne à la sensation baudelairienne, la première est de l'ordre du « fané » : elle ne fait qu'annoncer la disparition inéluctable de l'objet qui l'a produite. Chez Baudelaire, par contre, les sensations sont de l'ordre du « suranné » : elles nous invitent à rechercher leurs origines, elles sont les signes d'objets bien vivants que l'esprit peut et doit retrouver.

— *En vous appuyant sur ces analyses, montrez à l'aide d'exemples précis la spécificité de la sensation verlainienne.*

La naïveté de Verlaine

Si l'on a pu dire que Verlaine était naïf, c'est sans doute parce que lui-même estimait plus que tout la naïveté, « mère et nourrice de toutes les perfections grandes et petites ». La naïveté est liée pour Verlaine au monde heureux de l'enfance et au monde sensuel de l'adolescence. Enfin, c'est un mot-clé de son vocabulaire esthétique. Ici encore, nous retrouvons Baudelaire qui affirme, dans son *Salon de 1846* : « le grand artiste sera donc celui qui unira à [...] la naïveté, le plus de romantisme possible ». *(A quoi bon la critique?)* Pour lui, la naïveté, qui est la domination du tempérament dans la manière, est un privilège divin dont presque tous sont privés. » (*Des écoles et des ouvriers*).

Dans son étude sur la naïveté de Verlaine, James LAWLER suggère que l'impression de « naïveté » que nous ressentons à la lecture des poèmes de Verlaine est en fait le résultat d'une recherche : « il n'était pas question *d'être* naïf, mais plutôt de *se faire* naïf, de même que Rimbaud parlait de la nécessité de se faire visionnaire. »

De son côté, Paul VALÉRY a écrit : « Quant à l'ingénuité de Verlaine et de son art, il ne fait aucun doute qu'elle n'a jamais existé. Sa poésie est bien loin d'être naïve, étant impossible à un vrai poète d'être naïf. »

— *En vous appuyant sur des exemples tirés de ce recueil, dites vous-même votre opinion sur la « naïveté » de Verlaine.*

La rêverie verlainienne

Octave NADAL consacre la première partie de son *Paul Verlaine* à l'analyse de la rêverie, qui est pour le poète un outil fondamental pour appréhender la réalité. Selon lui, sa « rêverie imaginante », à la différence de celle des Romantiques, est « tournée vers le dedans ». Le monde extérieur n'est plus le décor, mais le domaine même de la rêverie. Si les choses de la nature ont une réalité, ce n'est pas parce qu'elles auraient un certain relief ou une certaine consistance, mais parce qu'elles possèdent une intériorité vivante. Les objets rêvés n'ont donc plus de contours nets : ils sont noyés dans la brume, le lointain. La rêverie est la seule « forme du contact ».

— *Étudiez, à partir des* Poèmes Saturniens, *la façon dont Verlaine transpose par la rêverie le monde extérieur (femme aimée, paysages...)*

La rêverie va jusqu'à « démanteler » l'âme, car elle n'en utilise plus les facultés intellectuelles et volontaires. C'est l'imagination qui s'empare des objets pour les fondre, les dissoudre et obtenir une « traduction immédiate du senti » (Rimbaud). Le réel et l'irréel ne se distinguent plus (voyez *Kaléidoscope*). Dans cet état, l'âme du rêveur se fond dans l'universel. Cet état d'âme fusionnel est typique de ce que Jean-Pierre RICHARD nomme « la langueur verlainienne » : « la langueur est le lieu d'un changement, d'une sorte de conversion intérieure, le passage d'un moi personnel à un moi impersonnel où ne subsiste plus rien de la sensibilité ancienne. A travers la langueur s'opère en somme la destruction de toutes les caractéristiques individuelles et l'émergence à un mode nouveau de la sensibilité, où chaque événement ne soit plus rapporté à aucune expérience particulière, mais revécu anonymement, dans l'impersonnalité d'un pur sentir ».

On comprend alors que Verlaine ait été tenté, à l'époque des *Romances sans Paroles,* par une poésie « objective », d'où l'homme serait exclu et qui serait un pur moyen de connaissance. Mais, malgré quelques tentatives en ce sens, il ne parvient pas à assumer totalement cette impersonnalité. De là un malaise, une équivoque : tout se passe comme si la conscience de Verlaine se dédoublait : « son moi impersonnel lui fait connaître d'étranges extases, mais sa sensibilité personnelle ne peut que constater la distance qui le sépare encore de ces extases, et de cet autre lui-même, plus lui-même que lui ». On sait que pour Rimbaud « Je est un Autre » : Verlaine ne se résoudra pas à être totalement cet « autre », il ne peut qu'être à la fois « je » et « autre », d'où un déchirement sans issue.

Cet échec poussera Verlaine à revenir dans *Sagesse* à un mode de sensation déjà illustré par *La Bonne Chanson* : une sensation précise et personnelle, aux contours nets et sans ambiguïtés.

— *A partir d'exemples pris dans l'œuvre de Verlaine (et en particulier les* Romances sans Paroles) *montrez en quoi sa poésie peut être qualifiée de « lyrisme impersonnel »* (J.-P. RICHARD).

— *Dans une lettre à Lapelletier, (1873), Verlaine parle d'écrire des poèmes d'où l'homme serait complètement banni : « une poésie objective », « musicale », et « aussi pittoresque que possible ». Une telle poésie vous semble-t-elle possible? Verlaine y est-il, à votre avis, parvenu?*

L'art poétique de Verlaine

Cette poésie du vague, de l'indécis, avait besoin d'un vers « soluble dans l'air ». Guy MICHAUD (*Message poétique du symbolisme*), décrit ainsi la « révolution » opérée par Verlaine dans le domaine du vers : « Pour la première fois en France, un poète ne comptait plus les syllabes, n'égrenait plus les vers; la phrase poétique formait un tout, se déroulant de vers en vers, de mesure en mesure, se glissant, insinuant et fluide, cherchant la courbe du chant intérieur pour se modeler sur elle. Révolution qui était bien autre chose qu'une révolution formelle, car c'était la notion même de poésie qui était en cause, et avec Verlaine c'étaient le fond et la forme, la pensée et le langage, l'âme et le vers, qui, après s'être longtemps cherchés, se rencontraient enfin, se pénétraient jusqu'à se fondre ensemble. »

— *Dégagez vous-même d'après l'*Art Poétique, *les différents points de la théorie verlainienne de la poésie, et illustrez-les par des exemples.*

La « révolution » de Verlaine se fait toutefois à l'intérieur d'un cadre assez strict : refusant le vers libre, il ne remet pas la prosodie en question et conserve la rime, quoique il l'accable de sarcasmes dans l'*Art Poétique*. Il maintient l'aspect extérieur du vers mais il y introduit des déséquilibres et des dissonances qui lui donnent son caractère fluide ou acrobatique. En ce qui concerne la langue, l'effort novateur de Verlaine porte surtout sur la syntaxe, comme le montre Cl. CUÉNOT : « il fait subir à la langue, et plus particulièrement à la phrase et au vers, les exercices d'assouplissement les plus extraordinaires, presque parfois de véritables acrobaties. Verlaine est un grand démolisseur et c'est en partie pour cette raison qu'il a été séduit par la syntaxe populaire, souvent peu soucieuse de logique et de cohérence. »

C'est ce mélange habile de maintien de formes traditionnelles (nombre, rime, mètre) et d'innovations décisives qui fait l'originalité du style de Verlaine : les oppositions de ton, de timbre et de rythme sont plutôt de l'ordre de la dissonance que de celui de la rupture. Pour Jean-Pierre RICHARD, cette dissonance a pour fonction d'agacer, d'exciter la conscience du poète qui ne peut se contenter de l'état de sensibilité « vague et suspendue » où le moi risque de s'épuiser et de disparaître. Pour J. BOREL, la dissonance du vers traduit une dissonance fondamentale : cette dissonance est celle de l'être même. »

— *Mettez en lumière les procédés de la dissonance chez Verlaine (vocabulaire, syntaxe, rythme...)*
— *Parmi ces phénomènes de dissonance, l'ironie joue un rôle particulier dans la poésie de Verlaine. Analysez-la et montrez en quoi elle est un facteur de rupture.*

Verlaine et le symbolisme

On associe souvent le nom de Verlaine au courant symboliste (voyez l'*Étude littéraire*). Il est certain que Verlaine s'est
toujours montré soucieux de traduire l'ensemble des sensations dans leur fluidité, mais la symbolisation n'est restée chez
lui qu'à l'état de tendance.

Selon O. NADAL, « l'impressionnisme de Verlaine ne
remonte pas par les sens jusqu'à la source de l'esprit,
démarche qui fut celle des poètes symbolistes les plus authen-
tiques. Verlaine reste au primitivisme sensoriel, tremplin du
symbole ».

— *Dans quelle mesure ce jugement vous semble-t-il confirmé
par les poèmes réunis dans ce recueil?*

Verlaine, poète impressionniste

Verlaine est contemporain des peintres impressionnistes,
dont l'effort porte sur la sensation en elle-même ce qui les
amène à renouveler radicalement le traitement de la couleur.
Chez Verlaine, l'équivalent poétique de la « fragmentation »
impressionniste en peinture est la précision avec laquelle ses
poèmes rendent les sensations, non d'une façon ordonnée
mais dans un « poudroiement de teintes et de couleurs, trame
logique oublieuse de toute élégie » (NADAL). De même que
les peintres impressionnistes ne recourent plus à la perspective
et au contour, et juxtaposent sur la toile des taches colorées
indépendantes de leur signification, de même Verlaine orga-
nise en un savant désordre les sensations les plus variées, les
plus particulières, sans les déterminer nettement : elles
demeurent dans le vague, le flou, l'indécis. Mais l'impressionnisme de Verlaine n'est pas seulement pictural. Les sensations
peuvent également se traduire par une certaine *musique*. Verlaine est le poète du songe, de la sensation vague : il a donc
besoin d'une fluidité de structure, d'une liberté que seule la
musique pouvait lui apporter. Elle seule peut traduire, sans les
trahir, ces états d'âme vagues qu'une description trop précise
figerait. La parole poétique est le reflet d'un rythme intérieur :
elle doit pouvoir en traduire toutes les modulations.

Paul CLAUDEL, dont le « verset » sera fondé sur le rythme
du souffle, de la respiration, analyse de même les vers de Verlaine : ils ne sont pas formés par des syllabes, ils sont animés
par une mesure. Ce n'est plus un membre logique durement
découpé, c'est une haleine, c'est la respiration de l'esprit ».

Chez Verlaine, le langage est avant tout l'émanation d'une

voix et non plus l'expression d'une pensée logique, et le poème est d'abord un *chant*. D'où la place privilégiée qu'occupe la chanson dans l'œuvre de Verlaine; en effet, son aspect naïf et populaire, son absence de sens précis, ses jeux sur les sonorités prédisposaient la chanson à rendre l'atmosphère sensorielle particulière à Verlaine.

— *Étudiez les divers procédés (mesure, timbres, harmonies, mode majeur et mode mineur...) employés par Verlaine pour faire « de la musique avant toute chose ».*

Les conversions de Verlaine

Le retour de Verlaine au catholicisme s'explique par des raisons biographiques (emprisonné à Mons, il revient sur lui-même et éprouve la nostalgie des croyances et des pratiques de son enfance), mais aussi par ce perpétuel besoin de sécurité qui l'avait déjà poussé à se marier rapidement. Mariage, religion, Verlaine attend de ces points d'ancrage qu'ils le fixent, qu'ils le fassent rentrer dans une « norme » grâce à laquelle il espère être sauvé. D'où l'enthousiasme qui le porte vers ces cadres protecteurs, au plus fort d'une crise. La « conversion » de Verlaine n'est pas seulement d'ordre religieux. On assiste parallèlement à un retour à des formes poétiques traditionnelles, rassurantes, reconnues : ce qui nous donne, après son mariage, *La Bonne Chanson*, et, après l'épisode de Mons, *Sagesse*.

L'angoisse qui naissait du vague sera conjurée grâce à une sensation d'où la fadeur, l'indécis, la dissonance sont bannies. Verlaine refuse désormais l'expérience du rêve, et recherche la Vérité dans une religion tangible, concrète, incarnée dans la personne du Christ. La référence au Rédempteur est d'autant plus rassurante que la conscience individuelle peut s'identifier à la conscience divine, et ainsi se reconstruire une intériorité où tout est clair et ordonné. Les sensations d'une telle conscience seront, elles aussi, sans ambiguïtés, clairement délimitées.

— *Quelle réponse apporteriez-vous à la question de J.-P. RICHARD : « à l'anonymat authentique du pur sentir, Verlaine n'a-t-il pas seulement substitué l'anonymat inauthentique de l'idée ou du sentiment reçus? »*

— *Tentez de définir et de caractériser à votre tour l'inspiration religieuse de Verlaine.*

THÈMES DE RÉFLEXION

1. Paul Valéry a écrit : « Quant à l'ingénuité de Verlaine et de son art; il ne fait aucun doute qu'elle n'a jamais existé. Sa poésie est bien loin d'être naïve, étant impossible à un vrai poète d'être naïf. »*(Variété II)*. Partagez-vous cette opinion?

2. Tenter de définir et de caractériser l'inspiration religieuse de Verlaine.

3. Quelle vous semble être l'étendue de la dette de Verlaine envers Baudelaire?

4. La séparation établie par Verlaine entre la poésie et « tout le reste » qui « est littérature » est-elle une boutade superficielle ou une idée féconde?

5. La connaissance de la vie de Verlaine aide-t-elle à mieux comprendre sa poésie?

6. Des qualités généralement reconnues à Verlaine (sens du rythme, musique, sincérité, don d'émouvoir, etc), à laquelle êtes-vous le plus sensible?

7. Verlaine poète musicien d'après les *Fêtes galantes*.

8. L'art du vers dans la poésie de Verlaine.

9. Verlaine peintre de paysages.

10. L'impressionnisme de Verlaine.

11. La tristesse de Verlaine.

12. Ironie et poésie dans l'œuvre de Verlaine.

13. Des principaux recueils poétiques de Verlaine, lequel préférez-vous et pourquoi?

14. Préférez-vous un poème clair, comme la plupart de ceux de Verlaine, ou un poème hermétique, comme la plupart de ceux de Mallarmé?

15. Aimez-vous Verlaine?

Imprimerie Jean-Lamour, 54320 Maxéville
Dépôt légal : octobre 1994 — Dépôt légal 1re édition : 1967
Imprimé en France